© Sonja Blietschau for Rebel Photo Art

*Tanya Stewner* wurde 1974 im Bergischen Land geboren und begann bereits mit zehn Jahren, Geschichten zu schreiben. Sie studierte in Düsseldorf, Wuppertal und London und widmet sich inzwischen ganz der Schriftstellerei. Die Autorin lebt mit ihrem Mann und ihrer Tochter Mailena in Wuppertal.

Mit ihrer Kinderbuchreihe über die Tier-Dolmetscherin Liliane Susewind und der Trilogie über die Elfe Hummelbi erzielte Tanya Stewner auf Anhieb riesige Erfolge.

Bei Fischer sind bisher neun ›Lilli‹-Bände erschienen, weitere sind in Vorbereitung. ›So springt man nicht mit Pferden um‹ ist der fünfte Band der Reihe.

© privat

*Eva Schöffmann-Davidov*, geboren 1973, hat schon als Kind alles gezeichnet, was ihr vor den Pinsel kam. Nach dem Abitur besuchte sie die Freie Kunstwerkstatt in München und studierte anschließend Graphik-Design in Augsburg. Bis heute hat sie mit großem Erfolg über 300 Bücher, vorwiegend für Kinder- und Jugendbuchverlage, illustriert. Sie lebt, liebt und arbeitet in München.

Tanya Stewner

# Liliane Susewind

## So springt man nicht mit Pferden um

Mit Bildern von
Eva Schöffmann-Davidov

Fischer Taschenbuch Verlag

Fischer Schatzinsel
ist das Kinder- und Jugendbuchprogramm
der S. Fischer Verlage
*www.fischerverlage.de*

Mehr Informationen, viele Spiele und Rätsel rund um
›Liliane Susewind‹ und ihre Abenteuer gibt es hier:
www.liliane-susewind.de

›Liliane Susewind – So springt man nicht mit Pferden um‹
ist auch als Argon Hörbuch im Handel erhältlich,
mit einem ›Lilli‹-Song der Autorin.

3. Auflage: November 2013

Veröffentlicht im Fischer Taschenbuch Verlag,
einem Unternehmen der S. Fischer Verlag GmbH,
Frankfurt am Main, Mai 2012

Die Originalausgabe erschien 2009 im
Hardcover-Programm von Fischer Schatzinsel

Satz: Pinkuin Satz und Datentechnik, Berlin
Druck und Bindung: CPI books GmbH, Leck
Printed in Germany
ISBN 978-3-596-80912-7

# Inhalt

# Schulanfang

Lilli stand vor dem Spiegel und versuchte, ihre widerspenstigen rostroten Locken glattzukämmen. An diesem Morgen erinnerte ihr Haar wieder einmal an einen wild gewordenen Wischmopp. Und das, obwohl heute nach sechs Wochen Sommerferien die Schule wieder anfing und Lilli zur Abwechslung gern einmal hübsch ausgesehen hätte.

»Wohin gehen wir denn?«, bellte Lillis kleiner weißer Hund Bonsai und wedelte erwartungsvoll mit dem Schwanz.

Lilli zupfte an einer besonders aufmüpfigen

Strähne herum. »Ich gehe in die Schule«, erwiderte sie.

»Ohne mich?« Bonsai ließ die zotteligen Ohren hängen.

»Ja, tut mir leid.« Lilli blickte ihren Hund, der seit mehr als drei Jahren ihr treuer Begleiter war, entschuldigend an. Dass sie ihn verstehen konnte, war für sie das Selbstverständlichste von der Welt. Denn Lilli hatte eine besondere Gabe: Sie konnte mit Tieren sprechen.

»Das Frühstück ist fertig!«, drang die Stimme von Lillis Vater herauf, und Lilli machte sich auf den Weg nach unten in die Küche. Dort war ihr Vater gerade damit beschäftigt, Brötchen aus dem Ofen zu holen. »Hallo Schatz!«, rief er. Ihre Mutter saß versteckt hinter der Zeitung und grummelte: »Morgen.« Lillis Oma, die ebenfalls bei ihnen lebte, gab ihrer Enkelin einen Begrüßungskuss auf die Nasenspitze. Lillis Vater stellte währenddessen eine Vase mit roten Dahlien, die er offenbar gerade im Garten gepflückt hatte, auf den Tisch. »Die Blumen lassen allesamt die Köpfe hängen«, stellte er besorgt fest. »Der Sommer war einfach zu heiß und es hat zu wenig geregnet. Die Natur und alle Pflanzen haben enorm darunter gelitten.«

Lilli setzte sich an den Tisch und legte die Hände um die Stängel, um den halbvertrockneten Blumen ein bisschen zu helfen. Die Dahlien waren allerdings ein schwerer Fall – ihre Köpfe hingen weiterhin traurig nach unten.

Ihr Vater beobachtete Lilli, seufzte und wechselte das Thema. »Ist Jesahja auch aufgestanden?«

Noch bevor Lilli antworten konnte, kam Jesahja schon hereinspaziert. Er war frisch geduscht und sah wie immer umwerfend aus. Sein dunkles Haar glänzte, da es noch feucht war, und seine schönen braunen Augen blitzten Lilli an. Lilli grinste und verspürte einen gewissen Stolz darauf, dass der hübscheste Junge der Schule ihr bester Freund war. Jesahja wohnte zurzeit sogar bei ihnen! Er war vorübergehend in das Zimmer neben Lillis eingezogen, da seine Eltern sich auf Geschäftsreise in China befanden.

Jesahja begrüßte nun alle und wollte sich gerade an den Frühstückstisch setzen, da sprang eine orange getigerte Katze auf seinen Stuhl. Mit miesepetrigem Gesicht blickte sie Jesahja an und maunzte: »Sie möchten doch wohl nicht etwa Ihre morgendliche Nahrungsaufnahme beginnen, ohne sich zuvor um meine Beköstigung gekümmert zu haben?« Gereizt schlug ihr Schwanz auf den Stuhl. »Ist es denn so schwierig, sich einzuprägen, an wen stets zuerst gedacht werden sollte?«

Die Katze gehörte Jesahja und wohnte momentan ebenfalls bei den Susewinds. Obwohl sie sich prächtig mit Bonsai verstand, war es manchmal gar nicht so leicht, die kleine Lady im Haus zu haben. Denn diese Katze war etwas ganz Besonderes. Sie betrachtete sich selbst als die »Crème de la crème der Schnurrherrschaften von Welt«, und deshalb trug sie den vornehmen Namen *Frau von Schmidt*.

Lilli übersetzte Jesahja nun, was die Katze verlangte, denn er verstand das Tier natürlich nicht. Er hatte lediglich ein Maunzen gehört. Jesahja kannte Frau von Schmidt aber so gut, dass er ahnte, worüber sie sich beschwerte. Bevor Lilli zu Ende übersetzt hatte, holte er schon eine Dose Katzenfutter aus dem Schrank. Frau von Schmidt sprang leichtfüßig vom Stuhl, strich um seine Beine und beobachtete, was er tat. »Nein, nicht diese Dose!«, zeterte sie gleich darauf. »Danach ist mir heute gar nicht. Mir wäre eher nach Mäusebraten.«

»Was hat sie zu meckern?« Jesahja schaute Lilli fragend an. »Will sie etwa schon wieder Mäusebraten?«

Lilli nickte und konnte sich ein Lachen kaum verkneifen. Frau von Schmidt hatte diesen Wunsch schon öfter geäußert. Aber da es kein Katzenfutter mit Mäusefleisch gab, hatte die getigerte Dame ihren Willen ausnahmsweise nicht durchsetzen können. Vor ein paar Tagen war Lillis Vater jedoch auf die Idee gekommen, der Katze einfach einmal Bonsais Hundefutter anzubieten. Dies hatten sie getan, und Frau von Schmidt war von der Mahlzeit, die sie für Mäusebraten hielt, außerordentlich begeistert gewesen.

Jesahja schüttelte nun den Kopf. »Es ist nicht gesund für Katzen, wenn sie zu oft Hundefutter fressen!«

Lilli wusste, dass er recht hatte. Sie räusperte sich und sagte zu Frau von Schmidt: »Bitte, Madame, würden Sie gütigerweise in Erwägung ziehen, Ihr normales Futter zu verzehren?« Lilli versuchte im Gespräch mit der Katze stets, sich so gewählt wie möglich auszudrücken. »Das würde ich Ihnen sehr empfehlen. Ihr Fell scheint durch Ihr gewöhnliches Mahl nämlich enorm an Leuchtkraft zu gewinnen«, fügte sie hinzu und brachte es kaum fertig, dabei ein ernstes Gesicht zu machen, denn Jesahja brach gerade in Gelächter aus.

»Oh, tatsächlich?«, miaute die Katze und strich sich entzückt mit der Pfote über ihren hübschen, orangefarbenen Pelz. »Nun, in diesem Falle würde ich meine übliche Beköstigung ausnahmsweise akzeptieren.«

Lilli übersetzte, und Jesahja füllte Frau von Schmidts Napf kichernd mit Katzenfutter. Als Bonsai das sah, tapste er näher und kläffte: »Kannst du mir auch was von Schmidtis Essen geben? Ich will auch leuchten!«

Lilli musste lachen. Kaum hatte sie gelacht, richteten die Dahlien in der Vase wie von Geisterhand die Köpfe auf.

»Na, also!«, rief Lillis Oma. »Geht doch!«

»Sehr schön, Schatz«, lobte auch Lillis Vater. Inzwischen war es für alle in der Familie etwas ganz Normales, dass Lilli nicht nur mit Tieren sprechen konnte, sondern auch eine besondere Wirkung auf Pflanzen hatte. Blumen, Sträucher oder Bäume begannen durch Lillis Anwesenheit oder eine Berührung von ihr zu wachsen oder zu blühen – und der Effekt verstärkte sich um ein Vielfaches, wenn Lilli lachte.

Alle frühstückten nun ausgiebig. Frau von Schmidt beglückwünschte Bonsai während des Fressens zu seinem »fürstlichen Mäusebraten« und vermutete, dass dieser bestimmt äußerst schmackhaft sei. Leise fügte sie hinzu: »Wie es scheint, verhilft er jedoch zu keinerlei Leuchtkraft. Wirklich schade für Sie.« Selbstzufrieden reckte sie die Nase in die Höhe.

Bonsai reagierte nicht auf ihre Bemerkung. Das lag daran, dass Hundisch und Katzisch völlig unterschiedliche Sprachen waren und Bonsai Frau von Schmidt ohne Lillis Übersetzung nicht verstand. Lilli schwieg allerdings, da sie sich in diesem Fall lieber nicht weiter einmischen wollte.

Schließlich machten Lilli und Jesahja sich auf den Weg zur Schule. Lilli merkte, dass sie nervös war. Sechs Wochen lang waren sie nicht dort gewesen! Als sie vor dem Schulgebäude ankamen, stürzten gleich einige Jungs auf Jesahja zu und begrüßten ihn lautstark. Sie waren, so wie Jesahja, eine Klasse über Lilli und scherzten und lachten in rauem Ton. Während Jesahja nun mit ihnen sprach, wirkte er viel schroffer als sonst, und plötzlich fühlte Lilli sich fehl am Platz. Wohl oder übel beschloss sie, sich nach irgendjemandem aus ihrer eigenen Klasse umzusehen. Doch kaum hatte sie sich umgedreht, rief Jesahja ihr nach: »Wir sehen uns in der Pause!«

Seine Freunde verstummten und musterten Lilli. Natürlich wussten sie, dass Jesahja mit Lilli befreundet war, aber über einen solch »uncoolen« Spruch schienen sie sich dennoch zu wundern. Jesahja machte das offensichtlich nichts aus. Verschmitzt lächelte er Lilli an.

Lilli konnte nicht anders als ebenso »uncool« zurückzustrahlen. Sie war froh, einen Freund wie Jesahja zu haben. Denn sie wusste nur allzu gut, wie es war, allein zu sein. Sie erinnerte sich noch genau, wie sie vor ein paar Monaten neu in diese Schule gekommen war und wie sich anfangs niemand mit ihr hatte anfreunden wollen. Schuld daran waren vor allem Trixi Korks und ihre Clique gewesen, die ihr vom ersten Tag

an schlimm zugesetzt hatten. Niemand aus der Klasse hatte sich mit den Mädchen anlegen und Lilli beistehen wollen. Inzwischen gab es die Clique allerdings nicht mehr, und Trixi stand ohne ihre Freundinnen da. In den Sommerferien hatte Lilli dann herausgefunden, dass Trixi und ihre Schwester Trina von ihrer Mutter misshandelt wurden. Das Jugendamt hatte daraufhin dafür gesorgt, dass die beiden zu ihrer Oma zogen, wo sie es besser haben sollten. Lilli fragte sich nun, ob Trixi überhaupt noch in ihrer Klasse war …

Im nächsten Augenblick wurde ihre Frage schon beantwortet: Trixi kam über die Straße auf sie zu! Lilli wappnete sich innerlich. Bisher waren Begegnungen mit Trixi immer alles andere als angenehm gewesen. Aber sie sah verändert aus. Ihr Gesichtsausdruck, der normalerweise angestrengt und verbissen wirkte, schien weicher – als sei ihr ein schlimm entzündeter Zahn gezogen worden. Trixi ging wortlos an Lilli vorüber und ignorierte sie.

Es klingelte. Fünf vor acht! Lilli wollte gerade das Schulgebäude betreten, da rief jemand: »Kuckuck!« Lilli drehte sich um. Da stand Bonsai!

»Was machst du denn hier?«, stieß sie verdutzt hervor.

Bonsai wedelte mit dem Schwanz. »Ich bin mitgekommen … damit ich auch hier bin«, antwortete er.

Lilli kniete sich neben ihn. »Aber du kannst nicht mit in die Schule kommen!«

»Doch! War ganz leicht! Immer dem Lilliduft nach …«

»Hunde gehen nicht in die Schule.« Lilli schüttelte den Kopf. »Bitte lauf wieder nach Hause, Bonsai.«

»Muss ich?« Der weiße Mischling ließ den Kopf hängen. »Wirklich?« Als Lilli ihn streng ansah, schnuffte er: »Okay« und setzte sich unwillig in Bewegung.

Lilli blickte ihm kopfschüttelnd nach, dann eilte sie ins Schulgebäude. In ihrem Klassenraum herrschte chaotisches Durcheinander. Alle Schüler schienen gleichzeitig zu reden und sich gegenseitig zu erzählen, wie sie die Ferien verbracht hatten. Lilli wurde mit vielen »Hallos« gegrüßt, denn mittlerweile war sie keine Außenseiterin mehr, sondern hatte einige Freunde gefunden.

Da betrat der Lehrer, Herr Gümnich, das Klassenzimmer. Schlagartig wurde es still im Raum. Das lag aber nicht am Lehrer, sondern an dem braunhaarigen Mädchen, das mit Herrn Gümnich hereinkam. Eine neue Schülerin! Lilli beugte sich gespannt vor und betrachtete das Mädchen. Sie hatte ein kleines, unscheinbares Gesicht und trug eine Brille. Ihr braunes Haar war schulterlang und beneidenswert glatt. Ihre Jacke sah alt und abgewetzt aus, genau wie ihre blauen Halbschuhe.

»Hallo Kinder«, sagte Herr Gümnich. »Ihr habt eine neue Mitschülerin. Ihre Familie ist erst vor kurzem hergezogen, sie kennt also noch niemanden hier. Sie heißt Wolke Jansen.«

Einige der Schüler lachten, andere wiederholten den Namen »Wolke«, als könnten sie nicht glauben, dass das Mädchen tatsächlich so hieß. Lilli hätte sie am liebsten ausgeschimpft. Sie konnte sich vorstellen, wie Wolke sich fühlte, denn an Lillis erstem Schultag hatten die anderen Schüler über den Namen »Susewind« gelacht, und Lilli wäre vor Scham am liebsten im Erdboden versunken.

Wolke starrte nun mit hochrotem Kopf auf

ihre Schuhspitzen. Da schnellte Lillis Hand in die Höhe.

Herr Gümnich schaute sie überrascht an. »Ja?«

»Wolke kann neben mir sitzen … wenn sie möchte.« Der Platz neben Lilli war frei, da Sonay, die normalerweise neben ihr saß, heute krank zu sein schien.

Wolke blickte auf und sah Lilli mit großen Augen an.

Der Lehrer lächelte und schien erleichtert zu sein. »Möchtest du neben Lilli sitzen?«, fragte er das Mädchen. Wolke nickte schüchtern. »Dann setz dich doch.«

Wolke ließ sich das nicht zweimal sagen. Sie stapfte durch den Klassenraum, schlüpfte neben Lilli auf den Stuhl und versank hinter dem Tisch. Da zischte jemand abschätzig: »Sag mal, aus welchem Jahrhundert sind denn deine Schuhe?« Es war Gloria, ein Mädchen, mit dem Lilli sich nicht sonderlich gut verstand. Gloria war früher ein Mitglied in Trixis Clique gewesen und hatte Lilli damals ebenso übel zugesetzt wie ihre beste Freundin Viktoria, die gerade über Glorias fiese Bemerkung lachte.

Lilli warf Gloria einen bösen Blick zu, aber diese schien das nicht zu bemerken. Dann begann die Schulstunde, und sie mussten sich auf den Unterricht konzentrieren. Als es zwei Stunden später zur Hofpause läutete, huschte Wolke aus dem Klassenraum und zog sich in die abgelegenste Ecke des Schulhofs zurück. Lilli wollte gerade zu Wolke hinübergehen, da hörte sie eine vertraute Stimme. »Hey Lilli!« Es war Jesahja, der auf sie zusteuerte. Im Schlepptau hatte er über ein Dutzend Jungs und Mädchen, die ihm in dichtem Abstand folgten. So war es immer in den Hofpausen. Jesahja war so beliebt, dass er ständig von einem ganzen Pulk von Fans umlagert wurde. Lilli fand es oft schade, dass sie Jesahja in der Schule selten allein sprechen konnte, aber heute störten seine Anhänger sie noch mehr als sonst.

»Ich möchte dir jemanden vorstellen«, sagte sie und zog Jesahja fort. Er war viel besser darin als sie, Gespräche zu führen, und er wusste bestimmt, wie man Wolke am besten kennenlernen konnte. Jesahjas Fans liefen ihm nach wie eine Herde Schafe. Zwei Jungs aus der Gruppe, Torben und Fabio, warfen Lilli schräge Blicke zu. Ihnen schien es gar nicht zu gefallen, dass das Mädchen mit dem roten Lockenkopf derart selbstverständlich Jesahjas Aufmerksamkeit in Anspruch nahm.

Als Lilli nun mit den anderen Schülern auf Wolke zustrebte, zeichnete sich im Gesicht des Mädchens Panik ab. Lilli wurde klar, dass das Ganze bedrohlich auf Wolke wirken musste. Aber nun war es zu spät, um umzudrehen.

»Das ist Jesahja«, stellte Lilli ihn in vorsichtigem Ton vor. Jesahjas Anhänger stierten Wolke neugierig an. Ihren abfälligen Mienen war anzusehen, welchen Eindruck Wolkes alte Halbschuhe und ihre abgewetzte Jacke auf sie machten.

»Hi«, sagte Jesahja und lächelte.

Wolke stand starr vor Schreck da. Die gaffende Schülergruppe schien sie enorm einzuschüchtern. Doch Lilli konnte sich vorstellen, was außerdem im Kopf des Mädchens vorgehen musste: Jesahja sah einfach zu gut aus. Es war nicht normal, dass ein Junge wie er einfach so auf ein Mädchen wie Wolke zukam und sie freundlich begrüßte. Lilli verwünschte die blöden Regeln, die in der Schule galten.

Wolke starrte Jesahja ängstlich an. Er lächelte noch einmal. »Bist du neu?«, fragte er.

»Ich ... bin Wolke«, antwortete sie stockend.

Kaum hatte sie ihren Namen genannt, begannen einige von Jesahjas Freunden zu lachen. Lillis Rücken versteifte sich.

Jesahjas Blick wanderte zwischen den Jungs und Wolke hin und her. Dann sagte er zu dem Jungen, der am lautesten lachte: »Weißt du eigentlich, was dein Name bedeutet, Fabio?«

Fabio zuckte erstaunt die Achseln.

»Fabio ist ein italienischer Name. Dem Wortstamm nach bedeutet er: *die Bohne*.«

Die Umstehenden brachen in schallendes Gelächter aus.

Lilli lachte nicht mit, sondern wunderte sich wieder einmal darüber, was Jesahja alles wusste. Durch seine Hochbegabung kannte er sich sogar mit Dingen aus, von denen viele Erwachsene wahrscheinlich noch nie etwas gehört hatten.

Wolke starrte ihn weiterhin sprachlos an. Schließlich sagte Jesahja: »Also ... einen schönen Tag noch.« Er warf Lilli einen ratlosen Blick zu und schlenderte davon. Der Pulk folgte ihm dicht auf den Fersen.

Lilli blieb bei Wolke stehen. Allerdings wusste sie nicht, worüber sie mit ihr reden sollte.

Wolke sah Lilli schüchtern an und schwieg ebenfalls. Verlegen zupfte sie sich ein paar einzelne Haare vom Ärmel.

»Was sind das für Haare?«, fragte Lilli, da sie sonst nichts zu sagen wusste.

»Das sind Pferdehaare«, erwiderte Wolke leise und zuckte entschuldigend mit den Schultern. »Ich kriege sie nie richtig ab …«

Lilli horchte auf. »Pferdehaare?«

»Ja … ich … wir haben einen Reiterhof.«

Lillis Mund klappte auf. »Einen Reiterhof?«

Wolke lächelte scheu. »Ja.«

»Hast du ein eigenes Pferd?«

»Ja, ein Pony.« Wolkes Lächeln verbreiterte sich. »Es heißt Darling, und ich habe es schon, seit ich vier Jahre alt war. Eigentlich könnte ich inzwischen ein größeres Pferd reiten, aber ich will gar kein anderes.«

»Ich bin noch nie auf einem Pferd geritten.«

Wolke blickte Lilli forschend an, dann sah sie verlegen zu Boden. »Wenn du möchtest, kannst du mich ja mal zu Hause besuchen«, murmelte sie kaum hörbar. »Dann könntest du dir ein Pferd aussuchen und darauf reiten.«

Lilli konnte kaum fassen, was sie da hörte. »Das wäre genial!«, rief sie. »Kann Jesahja auch mitkommen?«

Wolkes Augen weiteten sich. »Der Junge von eben? Der würde doch bestimmt nicht kommen ...«

»Klar würde er das! Jesahja ist mein bester Freund, und er hätte garantiert Lust zu reiten.«

»Dieser Junge ist dein bester Freund?«, fragte Wolke ungläubig und blickte zu Jesahja hinüber. Er war inzwischen von so vielen Leuten umringt, dass man ihn kaum noch sehen konnte. »Er ist wohl ziemlich beliebt ...«

Lilli zog eine Grimasse. »Ja, stimmt. Aber außerhalb der Schule verfolgt ihn die Schafherde da zum Glück nicht.«

Wolke grinste, und Lilli grinste zurück.

»Von mir aus könnt ihr schon heute Nachmittag kommen«, sagte Wolke.

»Ja, gern!«, rief Lilli freudestrahlend und konnte es kaum erwarten.

# Reiterhof Jansen

Nach der Schule rannten Lilli und Jesahja nach Hause, sagten kurz Lillis Vater Bescheid und schwangen sich auf ihre Fahrräder. Der Reiterhof der Jansens lag ganz in der Nähe. Lilli war vor Vorfreude ganz kribbelig. Sie war bisher nur flüchtig mit Pferden in Kontakt gekommen und furchtbar neugierig auf diese Tiere.

Als sie um die Kurve eines Feldwegs bogen, sahen sie mehrere große Gebäude, die zwischen Weiden lagen. Das musste der Reiterhof sein! Auf den Koppeln standen vereinzelt ein paar Pferde, die friedlich grasten. Die Wiesen waren von den heißen Sommermonaten ganz ausgebleicht, und Lilli fragte sich, wie viel fressbares Gras die Pferde dort überhaupt noch fanden.

Je näher Lilli und Jesahja kamen, desto mehr fiel ihnen auf, wie still es war. Vor dem Reiterhof standen keine Autos, und weit und breit war keine Menschenseele zu sehen. Als Lilli und Jesahja ihre Räder abstellten, trat jedoch eine Frau aus dem Hauptgebäude. Sie war groß und schlank, hatte braune Haare und trug Stiefel, Latzhosen und eine Baseballmütze. »Hallo, ich bin Slavika Jansen«, stellte sie sich vor. Sie musste Wolkes Mutter sein. »Habt ihr einen Termin?«, fragte sie freundlich und mit einem leichten Akzent.

»Nein, wir sind von Wolke eingeladen worden«, erwiderte Jesahja.

»Oh, tatsächlich?« Die Frau lachte. »Das wundert mich aber! Gleich am ersten Schultag hat sie euch eingeladen? Wolke ist normalerweise eher schüchtern …«

Da trat Wolke aus dem Haus. Sie wurde von einer sehr hübschen blonden Frau in Arbeitshosen begleitet.

»Da seid ihr ja schon!«, rief Wolke und kam näher. Dass Jesahja tatsächlich mitgekommen war, schien sie zu überraschen und zu freuen. Lilli fiel auf, dass Wolke an einer Kette um den Hals einen Anhänger trug, den sie am Morgen in der Schule noch nicht getragen hatte – ein kleines bronzefarbenes Pferd.

Wolke fasste mit der Hand an den Anhänger. »Den hat meine Mutter mir zum Schulanfang geschenkt.« Sie strahlte die blonde Frau an. Diese wandte sich lächelnd an Lilli und Jesahja. »Hallo, ich bin Annabell Jansen.«

Lilli blickte verwirrt von der braunhaarigen Frau mit der Baseballmütze zu der blonden Dame. Welche von beiden war Wolkes Mutter?

Wolke bemerkte Lillis Blick. Ihr Gesicht nahm einen entschlossenen Ausdruck an. »Slavika und meine Mutter sind verheiratet«, sagte sie.

»Ach so«, murmelte Lilli und wusste nicht, was sie sonst dazu sagen sollte.

Annabell und Slavika musterten Lilli und Jesahja aufmerksam. »Wenn ihr uns irgendetwas dazu fragen möchtet, könnt ihr das gern machen«, bot Slavika an.

Lilli überlegte. Ihr fiel nichts ein. »Wo sind denn die Pferde?«, fragte sie stattdessen.

»Ich zeig sie euch!« Schon lief Wolke los,

und Lilli und Jesahja beeilten sich hinterherzukommen. Sie rannten an zahllosen verwaisten Ställen vorüber. Lilli wunderte sich. Überall herrschte gähnende Leere! Wolke spurtete einen kleinen Pfad entlang, der zu den Koppeln führte. Hier graste eine Handvoll Pferde. Als sie näher kamen, hob eines nach dem anderen den Kopf und blickte gebannt in Lillis Richtung. Lilli verlangsamte ihre Schritte. Wolke wusste noch nichts von ihrer außergewöhnlichen Beziehung zu Tieren, aber es sah so aus, als würde sich das bald ändern. Da Wolke auf Lillis Schule ging, würde sie früher oder später sowieso erfahren, was an ihrer Tischnachbarin anders war, denn inzwischen wussten in der Schule alle Bescheid. Dies war also der beste Zeitpunkt, um Wolke in ihr Geheimnis einzuweihen.

Wolke runzelte die Stirn. »Was ist denn mit den Pferden los?« Keines der Tiere rührte sich. Sie standen da wie Statuen aus Stein und gafften zu ihnen herüber.

Lilli, Jesahja und Wolke betraten die Koppel durch ein Gatter. »Darling!«, rief Wolke einem fuchsfarbenen Pferd mit flachsblonder Mähne zu. »Komm her!«

Das Pferd zuckte mit dem linken Ohr, bewegte sich aber keinen Zentimeter von der Stelle. Auf Wolkes Gesicht zeichnete sich Verwirrung ab. »So etwas hat sie noch nie gemacht ...«

Jesahja warf Lilli einen auffordernden Blick zu, und Lilli nickte. »Wolke, ich muss dir was sagen«, begann sie. »Das mit den Pferden hat damit zu tun, dass ...«

Sobald die Pferde Lillis Stimme hörten, schien es, als erschüttere sie ein Beben. Ein paar schüttelten den Kopf, als wollten sie ihren Ohren nicht trauen, andere stampften unruhig mit den Hufen auf. Wolke bemerkte die plötzliche Unruhe der Pferde. Mit verblüffter Miene beobachtete sie, wie einige der Tiere die Nüstern aufblähten, als wollten sie einen Geruch aufnehmen. Ein Pferd – ein großer, schöner Schimmel – reckte sich dabei so weit in ihre Richtung, dass er beinahe das Gleichgewicht verlor. »Hier geht irgendetwas Merkwürdiges vor sich ...«, murmelte Wolke.

»Ich glaube, das liegt an mir«, gestand Lilli.

»Was?« Wolke rückte ihre Brille zurecht. »Wieso?«

»Ich ...« Lilli überlegte, wie sie am besten formulieren konnte, was ihr Geheimnis war. Doch am einfachsten war es, nichts zu sagen, sondern es Wolke zu zeigen. Lilli straffte die Schultern und wandte sich an die Pferde. »Hallo!«, rief sie mit lauter Stimme. »Ihr dürft ruhig näherkommen!«

Die Pferde zögerten keine Sekunde und trabten im Eilschritt zu Lilli herüber. Der große Schimmel verfiel sogar in Galopp und erreichte Lilli als Erster. »Hey-y-y! Du kannst ja sprechen!«, wieherte er. »Was bist du nur für eine? Lass mich mal riechen ...« Er schnupperte an Lillis Haaren. Doch schon waren die anderen Pferde da, schubsten ihn zur Seite und drängten sich neugierig an Lilli heran. Jeder andere hätte zwischen den stampfenden, drängelnden Pferden wahrscheinlich Angst bekommen, aber Lilli verstand ihre Aufregung. Die Pferde hatten einfach noch nie erlebt, dass ein Mensch mit ihnen reden konnte.

Wolke stand mit offenem Mund da. »Wie machst du ... das?«

»Die Pferde verstehen mich«, erklärte Lilli. »Ich kann mit ihnen sprechen.«

»Im Ernst? Das stimmt?«, fragte der Schimmel. »Das ist ja sensationell großartig!«

»Danke«, erwiderte Lilli und stellte sich den Pferden vor: »Ich bin Lilli.« Kaum hatte sie das gesagt, antworteten alle Pferde gleichzeitig. »Hallo, ich bin Merlin«, »Willst du mit uns grasen?«, »Hast du Möhren dabei?«, »Ich heiße Darling«, »Bist du ein Fohlen?«, riefen die Tiere durcheinander. In dem lauten Pferdechor konnte Lilli keines von ihnen klar verstehen. »Moment!«, rief sie und hob die Hand. Die Tiere verstummten sofort. »Ich möchte jeden von euch kennenlernen, aber wenn ihr alle auf einmal redet, geht das nicht«, sagte sie. »Am besten geht ihr zurück und grast weiter. Wir unterhalten uns dann später.«

Die Pferde schnaubten und schienen diese Idee nicht so gut zu finden. Da rief der Schimmel: »Wir sollten machen, was das pferdesprechende Mädchen sagt, sonst geht es noch weg!«

Das schien die Pferde zu überzeugen. Nach und nach traten sie zurück und zockelten langsam zu ihren Grasplätzen. Der Schimmel sah sich dabei immer wieder nach Lilli um und schien ihr mit den Ohren zuzuwinken.

Lilli fragte sich, wie das alles auf Wolke wirken musste. Das Mädchen stand völlig verdattert da. »Du sprichst mit Pferden?«, flüsterte sie.

»Lilli kann mit allen Tieren reden«, erwiderte Jesahja. »Sie versteht sie, und die Tiere verstehen Lilli.«

Wolke schob mit zittrigen Fingern ihre Brille hoch. »Das ist ... Wahnsinn.«

»Stimmt.« Jesahja grinste. »Gibt es irgendwas, was du schon immer mal von einem der Pferde wissen wolltest?«

Wolke stutzte, dann schien sie zu begreifen, welche Möglichkeit sich ihr plötzlich durch Lilli bot. »Ja! Natürlich! Warte ...« Wolke pfiff auf zwei Fingern. Ihre Stute Darling kam prompt zu ihnen zurückgelaufen, stupste Wolke freundschaftlich an und schnupperte dann erneut an Lilli.

»Hattest du nicht gesagt, Darling sei ein Pony?«, wunderte sich Lilli. »Sie ist zwar ein bisschen kleiner als die anderen, aber trotzdem ganz schön groß ...«

»Darling ist ein Haflinger.« Wolke strich der Stute über die weichen Nüstern. »Haflinger zählen zu den Ponys.«

»Hat mich jemand gerufen?« Der große Schimmel stand plötzlich wieder hinter Lilli und sah sie unschuldig an. Er wusste bestimmt genau, dass Wolke nicht ihn gerufen hatte, sondern Darling, aber er schien seine Neugier kaum bändigen zu können.

Lilli lächelte. »Wie heißt du?«, fragte sie.

»Ich bin Merlin, das berühmtbeste Pferd der Welt.«

Lilli grinste. »Ich komme später zu dir, Merlin«, versprach sie. »Aber jetzt wollen wir uns erst mal mit Darling unterhalten.«

»Ja-a-a, klar. Gut. Warum nicht?«, wieherte Merlin, machte aber keine Anstalten wegzugehen.

»Bis später dann«, sagte Lilli.

»Ja, bis später«, erwiderte Merlin und bewegte sich keinen Zentimeter vom Fleck.

Lilli kratzte sich unschlüssig am Kopf, ging um den Schimmel herum, legte ihre Hände auf sein Hinterteil und begann, ihn in Richtung der Weide zu schieben. »Würdest du bitte …«, ächzte sie.

»Oh! Sicher. Klar! Ich … äh … gehe dann mal.« Merlin kam langsam in Bewegung – wie in Zeitlupe setzte er einen Huf vor den anderen und schaute dabei nicht nach vorn, sondern verdrehte den Hals, um Lilli weiterhin ansehen zu können.

»Vorsicht!«, rief Lilli. Widerwillig blickte der Schimmel nach vorn und konnte gerade noch Darling ausweichen, mit der er sonst zusammengestoßen wäre.

»Oh, danke! Das war beinahe knapp!«, rief Merlin.

Lilli schüttelte grinsend den Kopf.

»Was willst du von deiner Stute wissen?«, fragte Jesahja Wolke nun.

Wolke verschränkte verlegen ihre Finger. »Ich möchte ihr erst einmal sagen, dass ich sie lieb habe.«

Lilli lächelte und übersetzte der Stute, was Wolke gesagt hatte. »Ui-i-i! Das ist schön!«, wieherte Darling daraufhin. »Ich sage auch etwas. Mein Mädchen ist das beste Mädchen. Das sage ich.«

Lilli übersetzte wieder, und Wolke hörte ihr so aufmerksam zu, als wollte sie jedes Wort in sich aufsaugen. Dann lachte sie und streichelte Darlings Kopf. »Es gibt etwas, das ich gern wissen würde«, rückte Wolke dann heraus. »Manchmal, wenn ich Darling in den Stall bringe, wiehert sie laut und tritt gegen die Stallwände. Könntest du sie fragen, warum sie das macht?«

Lilli fragte das Pferd. »Damit beschwere ich mich!«, gab Darling zur Antwort. »Weil ich mich beschweren muss.«

»Aber … worüber denn?«

»Ich bin allein im Stall!« Die Stute schüttelte ihre flachsblonde Mähne. »Ich bekomme Angst, wenn keiner da ist. So ist das.«

Lilli übersetzte.

Wolke sah Lilli erschüttert an. »Sie hat Angst? Das wusste ich nicht. Die Boxen neben Darling stehen leer …«

»Warum denn?«, fragte Jesahja.

Wolke spielte mit traurigem Gesicht an ihrem bronzefarbenen Pferdeanhänger herum. »Es gibt nur sehr wenige Pferde hier auf dem Hof.« Sie wies auf die Handvoll Tiere, die auf der ausgedörrten Koppel graste. »Bis auf eines sind das alle.«

»Mehr gibt es nicht? Woran liegt das?«

»Meine Mutter hat den Reiterhof erst vor kurzem geerbt. Zu ihm gehörten nur noch zwei

Pferde. Nämlich Wayomi …« Wolke zeigte auf ein hellbraunes Tier mit vier weißen Fesseln. »… und Rasputin.« Sie wies auf ein geschecktes, stämmiges Pferd.

»Und die anderen drei?«, fragte Jesahja und deutete auf die übrigen Pferde auf der Koppel.

»Das sind Zucker, Merlin und eben meine Darling. Die drei haben uns schon vorher gehört. Als wir vor ein paar Wochen hierherzogen, haben wir sie mitgebracht. Wisst ihr, meine Familie war schon immer pferdeverrückt. Seit ich denken kann, sind wir in jeder freien Minute mit unseren Pferden zusammen. Deshalb haben wir uns auch so gefreut, als meine Mutter den Hof geerbt hat. Er ist nah am Wald, mit viel Platz zum Ausreiten. Aber …« Wolke stockte. »Wir finden keine Reitschüler, und ohne Reitschüler kann der Hof nicht überleben.«

»Aber weswegen kommt denn niemand?«

»Hier ist alles ein bisschen … heruntergekommen. Das schreckt wohl viele Leute ab. Andere Höfe sind schicker und bieten tolle Extras, die wir uns nicht leisten können. Wir haben einfach nicht genügend Geld, um die Gebäude wieder in Schuss zu bringen. Deswegen bringen die Leute ihre Pferde nicht bei uns unter, und es kommen keine Reitschüler.« Wolke lehnte ihre Stirn an Darlings Hals. »Meine Mutter und Slavika sind inzwischen verschuldet, und deshalb müssen wir den Hof wahrscheinlich schon bald wieder aufgeben. Darling und die anderen Pferde werden dann verkauft …«

»Oh.« Lilli senkte den Kopf.

Jesahja schaltete sich ein. »Es muss doch irgendetwas geben, was man tun kann …« Lilli kannte ihn gut genug, um zu wissen, dass er bereits nach einem Ausweg suchte.

»Ja, es könnte noch alles gut werden«, erwiderte Wolke.

Lilli und Jesahja schauten sie fragend an. »Wie?«

»Wir haben noch ein Pferd. Einen Hengst. Er ist etwas ganz Besonderes und unsere ganze Hoffnung. Sein Name ist Storm.«

# Storm

Wolke ging voran und führte sie zu einer anderen Weide. Lilli und Jesahja folgten ihr neugierig und fragten sich, was das für ein ganz besonderes Pferd sein mochte, das Wolke ihnen zeigen wollte. Schließlich blieb Wolke vor einem Gatter stehen. »Das ist er«, sagte sie stolz.

Lilli stockte der Atem. Auf der Weide stand das schönste Pferd, das sie je gesehen hatte – ein pechschwarzer Hengst. Er war groß, muskulös und schlank, und sein schwarzes Fell glänzte silbrig in der Sonne. Während er graste, bewegte er sich schon derart anmutig, dass man sich wünschte, ihn einmal galoppieren zu sehen – er musste schnell sein wie ein Blitz. Auf der Stirn hatte er eine feine, schmale Blesse, und seine schwarze Mähne fiel ihm in ungezähmten Strähnen über den schönen Hals.

»Das ist Storm«, sagte Wolke in ehrfürchtigem Ton.

»Wow.« Jesahja pfiff anerkennend durch die Zähne.

Lilli fand keine Worte. Wolke hatte recht – man sah gleich, dass dieses Pferd etwas Besonderes war. Selbst auf die Entfernung hin konnte man erkennen, dass der Hengst nur so vor Kraft und Energie strotzte.

Wolkes nächste Worte bestätigten dies. »Er steht auf einer Einzelkoppel, weil er für die anderen zu wild ist.«

Sie betrachteten das Pferd staunend.

»Du hast gesagt, Storm wäre eure ganze Hoffnung …«, nahm Jesahja den Faden wieder auf.

»Slavika und meine Mutter haben Storm erst vor ein paar Wochen gekauft … für sehr viel Geld«, erwiderte Wolke. »Storm kommt aus einem berühmten Reitstall, und seine Eltern gehören zu den erfolgreichsten Turnierpferden Europas!« Sie strich sich eine hellbraune Haarsträhne aus dem Gesicht. »Wir lassen Storm zum Springturnierpferd ausbilden. Er hat riesiges Talent. Er springt schon jetzt besser als die meisten Champions!« Ihre Wangen glühten. »Für das Training haben wir einen erfahrenen Trainer eingestellt. Er heißt Egobert und arbeitet jeden Tag mit Storm. Wir hoffen, dass Storm schon in ein paar Wochen so weit sein wird, an seinem ersten Turnier teilzunehmen.« Wolke seufzte. »Egobert nimmt zwar viel Geld für seine Arbeit, aber Slavika und meine Mutter haben sich nun mal dafür entschieden, alles, was sie haben, in Storm und sein Training zu investieren.«

»Sie setzen alles auf eine Karte?« Das schien Jesahja nachdenklich zu machen.

»Ja, aber wenn Storm zum Champion wird und Turniere gewinnt, rettet das den Hof.«

»Das wäre ja toll!«, rief Lilli.

Da hob Storm den Kopf und schaute zu ihr herüber. Einen Augenblick lang blickte er sie durchdringend an, dann wandte er sich wieder ab und graste weiter.

»Komisch«, murmelte Jesahja. »Du scheinst ihn nicht allzu sehr zu interessieren.«

Lilli war ebenfalls erstaunt.

»Na, bewundert ihr unseren Star?«, fragte eine freundliche Stimme. Es war Annabell, Wolkes Mutter, die mit einem Halfter in der Hand auf sie zukam.

»Bringst du Storm in den Stall, Mama?«

»Ja. Hoffentlich macht er es mir nicht wieder so schwer, ihn einzufangen.« Annabell öffnete das Gatter und ging langsam über die Wiese. Als Storm sie auf sich zukommen sah, stellte er wachsam die Ohren auf und wich einen Schritt zurück.

»Er ist manchmal ein bisschen nervös«, erklärte Wolke.

Da wieherte Storm. Lilli erschrak, als sie hörte, was er rief: »Geh weg, Mensch!« Der Hengst schüttelte sich. »Ich will keine Menschen mehr sehen!«

Annabell, die dies nicht verstand, ging mit bedächtigen Schritten zu ihm, sprach liebevoll auf ihn ein und klopfte ihm sachte auf die Brust.

»Was sagt er denn?«, fragte Wolke neugierig. Aber Lilli schwieg betreten.

Nach und nach beruhigte Storm sich, ließ sich von Annabell das Halfter um den Kopf legen und zum Gatter führen. Als er an den Kindern vorüberschritt, sah er Lilli in die Augen. In seinem Blick lag so große Feindseligkeit, dass ihr ein eiskalter Schauer über den Rücken lief. »Du …«, schnaubte Storm. »Du scheinst zwar anders als die anderen zu sein … aber du bist auch nur ein Mensch.«

Lilli war so bestürzt, dass sie kaum atmen konnte.

»Alles klar mit dir?« Jesahja trat näher. »Du bist ganz blass.« Auch Wolke schaute Lilli fragend an.

Lilli zögerte. Wie würde Wolke reagieren, wenn sie ihr verriet, dass Storm Menschen nicht leiden konnte? Besser wäre es, sich erst einmal richtig mit dem Hengst zu unterhalten und herauszufinden, ob sie womöglich irgendetwas falsch verstanden hatte. »Nein, alles okay«, nuschelte Lilli und hustete den Kloß in ihrem Hals fort. »Wolke, du hast gesagt, wir könnten heute reiten?«

»Ja, wollt ihr?«

»Also, ich bin dabei!«, rief Jesahja.

Lilli überlegte. »Ich würde gern auf Storm reiten.«

Wolke und Jesahja hielten abrupt inne und starrten sie an, als hätte sie nicht mehr alle Tassen im Schrank. »Du willst …« Wolke lachte. »Das ist ein Scherz, oder?«

»Nein. Ich … möchte nur mal eine Runde auf ihm drehen.« Lilli hoffte, dass sie dabei die Gelegenheit haben würde, mit dem Hengst zu sprechen.

Wolke schüttelte den Kopf. »Niemand außer Egobert reitet Storm. Er ist viel zu schwer zu bändigen. Und du hast doch noch nie auf einem Pferd gesessen! Es wäre mordsgefährlich für dich, auf Storm zu reiten!«

Der Gedanke war Lilli tatsächlich nicht ganz geheuer. Sie musste wohl eine andere Möglichkeit finden, mit dem Hengst zu reden. »Du hast recht. Das ist wahrscheinlich keine so gute Idee«, gab sie kleinlaut zu.

»Wir können ja zur Weide zurückgehen, und dann sucht jeder von euch sich dort ein Pferd aus«, schlug Wolke vor.

Jesahja war Feuer und Flamme. Auch Lilli freute sich und nahm sich vor, Storm vorerst aus ihrem Kopf zu verbannen. Im Gänsemarsch liefen sie zu der Koppel mit den Pferden zurück. Die Köpfe der Tiere schossen allesamt in die Höhe, als Lilli sich abermals näherte.

»Da bist du ja wieder, Lilli-i-i!«, wieherte der Schimmel und trabte flugs zum Gatter. »Weißt du noch? Ich bin Merlin, das berühmtbeste Pferd der Welt!«

»Das habe ich nicht vergessen.« Lilli tätschelte Merlin die breite, weißgraue Brust.

»Ich springe am höchstbesten! Von allen! Das stimmt.«

»Du springst?«

Wolke schaltete sich ein. »Erzählt er das gerade?« Man sah ihr an, dass es für sie regelrecht ein Wunder war, dass Lilli auf diese Weise mit dem Pferd redete. »Merlin war früher ein sehr erfolgreiches Turnierpferd«, erklärte sie.

Lilli betrachtete den großen Schimmel nun genauer. Er hatte einen edlen Körperbau und lange, kräftige Beine. Sein hellgraues Fell war mit zahllosen weißen Flecken gesprenkelt, und seine dunkelgraue Mähne machte einen sehr gepflegten Eindruck. Lilli lächelte. Merlin war ein schöner Kerl, auch wenn er nicht mehr ganz jung zu sein schien.

Wolke fuhr fort: »Merlin hat früher jede Menge Preise gewonnen und war eines der besten Springpferde des Landes. Aber dann hat er sich bei einem Turnier am Bein verletzt und konnte nicht mehr springen. Seine Besitzer wollten ihn damals einschläfern lassen.«

Lilli erschauderte.

»Meine Mutter und Slavika haben Merlin gekauft, bevor er eingeschläfert werden konnte. Sie wollten nicht mit ansehen, wie ein Pferd, das einen solch guten Charakter hat, einfach getötet wird. Und nun bekommt Merlin bei uns sein Gnadenbrot.«

»Kann er denn noch springen?«

»Nein, durch seine Beinverletzung ...«, begann Wolke, doch Lilli konnte ihr nicht zuhören, denn Merlin mischte sich wieder ein. »Natürlich kann ich noch springen! Ganz wunderherrlich springe ich!«, sprudelte er hervor. »Am besthöchsten von allen! Im Ernst! Das stimmt. Ich habe es nur lange nicht mehr gemacht ...«

Bevor Lilli übersetzen konnte, fragte Jesahja:

»Dürfen wir uns wirklich ein Pferd aussuchen? Irgendeins?«

»Ja«, bestätigte Wolke. »Zucker wurde früher sowohl von meiner Mutter als auch von Slavika geritten, aber seit wir den Hof und die beiden Pferde geerbt haben, reitet Slavika meistens Rasputin. Zucker ist also das Pferd von meiner Mutter, Rasputin das von Slavika, und Darling ist mein Pferd. Trotzdem könnt ihr euch aussuchen, welches ihr wollt.«

»Ich würde gern auf dem Pferd da hinten reiten!« Jesahja wies auf das hellbraune Pferd mit den vier weißen Fesseln.

»Wayomi«, sagte Wolke. »Eine gute Wahl.«

»Es sieht nett aus«, überlegte Jesahja laut, »... als käme es niemals auf den Gedanken, jemanden abzuwerfen.«

Wolke lachte. »Das hat sie auch noch nie.«

»Und auf wem reite ich?«, fragte Lilli. Sie hatte den Satz noch nicht ganz zu Ende gesprochen, da brachen sämtliche Pferde auf der Koppel gleichzeitig in lautes Wiehern aus. »Nimm mich!«, »Nein, mich! Ich bin kleiner, da kommst du besser rauf!«, »Aber ich bin hier der Flottbeste!« Die letzte Bemerkung kam von Merlin, der vor Lilli herumtänzelte. »Sollen wir? Ja? Wir zwei?«

Lilli lachte und sagte Wolke, dass sie gern auf Merlin reiten würde. »Juhu-u-u!«, johlte der Schimmel, rannte los und drehte ein paar ungestüme Runden auf der Weide. Lilli beobachtete ihn lächelnd. Sein Bein schien ihn nicht zu behindern.

»Dann lasst uns mal die Sättel, das Zaumzeug und die Reitkappen holen«, schlug Wolke vor. Lilli und Jesahja folgten ihr zu einem der Ställe und stürmten in den Sattelraum. Kaum waren sie durch die Tür gelaufen, stießen sie mit jemandem zusammen.

»Hey, immer langsam!« Vor ihnen stand ein älterer Junge mit verstrubbeltem Haar.

»Tom! Du stehst im Weg!«, rief Wolke.

»Ich stehe, wo ich will«, gab der Junge zurück und zog Wolke die Kapuze ihres alten Sweatshirts über den Kopf.

Wolke zog sie sogleich wieder zurück. »Finger weg!«

»Willst du mich deinen Gästen nicht vorstellen?«, fragte der Junge und verschränkte die Arme vor der Brust.

»Nein.« Wolke schob ihn grinsend beiseite. »Ignoriert ihn einfach«, sagte sie zu Lilli und Jesahja.

Aber der Junge ließ sich nicht ignorieren. »Ich bin Tom«, stellte er sich vor. »Wolkes Bruder.«

»Das war klar«, murmelte Jesahja. Gleich darauf sagte er lauter: »Ich bin Jesahja, und das ist Lilli.«

»Ich bin Slavikas Sohn –«

»Das interessiert doch keinen!«, unterbrach Wolke ihn.

Tom lachte. »Ist ja gut, Wölkchen. Bin schon weg.« Pfeifend schlenderte er aus dem Sattelraum.

Lilli hatte zwar selbst keine Geschwister, aber sie hatte schon öfter erlebt, dass sich Brüder und Schwestern gegenseitig neckten und aufzogen, obwohl sie sich eigentlich gut verstanden. Das schien auch bei Wolke und Tom der Fall zu sein.

»Welches Pferd reitet Tom?«, erkundigte sich Jesahja.

Wolkes Miene wurde weicher. »Toms Pferd Nikolaus ist vor kurzem gestorben. Nikolaus war schon alt, aber für Tom war es schlimm, ihn zu verlieren. Er ist seitdem auf kein Pferd mehr gestiegen. Und das, obwohl er einer der besten Reiter ist, die ich kenne.« Sobald Wolke merkte, dass sie etwas Nettes über ihren Bruder gesagt hatte, schnitt sie eine Grimasse und zeigte ihnen schnell, wo die Sättel, das Zaumzeug und die Reitkappen waren. Schwer bepackt marschierten die drei wenig später zur Koppel zurück. Dort trippelte Merlin erwartungsvoll auf der Stelle. »Leute, es geht lo-o-o-s!«, wieherte er und schnaubte aufgeregt.

Lilli ließ sich von Merlins guter Laune anstecken. Ungeduldig sah sie Wolke dabei zu, wie sie Darling sattelte. Wolke kletterte dafür auf den Zaun und stemmte den Sattel von dort aus auf den Pferderücken. So verfuhren sie auch mit Wayomi und Merlin, der vor Aufregung kaum stillhalten wollte. Doch schließlich war alles bereit.

»Okay, Lilli«, sagte Wolke. »Steig du als Erste auf.«

Lilli stand vor dem großen Schimmel und blickte ratlos an ihm hinauf. Der Steigbügel baumelte vor ihrer Nase herum. Wie sollte sie es bloß schaffen, ihren Fuß dort hineinzubekommen?

»Führ ihn an den Zaun!«, riet Wolke. »Vom Zaun aus kannst du leicht auf ihn raufklettern.«

Da fragte Merlin: »Kommst du nicht hoch? Du bist ganz schön klein, was? Und ich bin auch noch der Größthöchste hier. Warte, ich komm runter.« Bevor Lilli sich versah, knickte Merlin schon die Vorderläufe ein und kniete sich vor sie.

Wolke fielen beinahe die Augen aus dem Kopf. »Das gibt's ja gar nicht ...«, keuchte sie. »Das hab ich ihn noch nie machen sehen!«

Nun war es kein Problem mehr für Lilli, mit dem Fuß den Steigbügel zu erreichen. Sie nahm Schwung und stieg auf Merlins Rücken. Kaum saß sie dort, erhob der Schimmel sich auch schon wieder. Lilli klammerte sich am Sattel fest, um nicht das Gleichgewicht zu verlieren. Aber sie hatte keine Angst. Im Gegenteil! Sie fühlte sich pudelwohl.

»Geht's dir gut?«, fragte Merlin.

»Ja, es ist toll hier oben!«

»Alles klar! Los geht's!«, jauchzte er und schoss ohne weitere Vorwarnung nach vorn.

Lilli griff verdutzt nach dem Zaumzeug. Wolke hatte ihr erklärt, wie man ein Pferd zügelte oder stoppte. Doch Lilli wollte Merlin eigentlich gar nicht zügeln. Sie mochte den schnellen Trab, mit dem er über die Wiese stob. Zwar wurde sie ordentlich durchgerüttelt, aber schon nach wenigen Augenblicken hatte sie begriffen, dass das Rütteln aufhörte, wenn sie sich im Einklang mit Merlin bewegte und sich bei jedem seiner Schritte im Sattel auf- und niedersetzte.

Wolke und Jesahja standen verblüfft neben ihren Pferden und beobachteten Lilli. »Du hast doch gesagt, du wärest noch nie geritten ...«, hörte Lilli Wolkes Stimme hinter sich.

»Das bin ich ja auch noch nie!«

»Dann bist du wohl so was wie ein Naturtalent«, wunderte sich Wolke. »Willst du auch aufsteigen?«, fragte sie Jesahja, und dieser nickte. »Führ sie an den Zaun und –«

Da wieherte Wayomi: »Soll ich mich auch hinknien?«

Lilli antwortete: »Ja, das wäre super!«

»Was wäre super?«, fragte Jesahja, aber schon knickte Wayomi die Vorderbeine ein und brachte ihren Rücken mit Jesahja auf Augenhöhe.

»Das!«, rief Lilli und lachte. Im gleichen Moment verwandelte sich das ausgedörrte Gras unter Merlins Hufen in sattes Grün, und zahllose kleine Wiesenblumen schossen in die Höhe. Lilli schaute sich erschrocken um, doch Wolke hatte es nicht bemerkt. Sie staunte noch über Wayomi. Und während Wolke staunte, tat Darling es Jesahjas Stute gleich und ging ebenfalls in die Knie. »Komm rauf, mein Mä-ä-ä-dchen!«, forderte die Haflingerstute sie auf.

Obwohl Wolke das Wiehern nicht verstand, strahlte sie von einem Ohr zum anderen. Mit einer geschickten Bewegung schwang sie sich auf den Sattel, und Darling erhob sich wieder. Jesahja kletterte ohne Probleme auf Wayomi, die ebenfalls gleich darauf wieder aufrecht stand.

»Bleib einfach ganz locker«, empfahl Wolke Jesahja und erklärte ihm, wie man die Zügel halten musste. Jesahja hörte aufmerksam zu und trieb Wayomi vorsichtig an. Die Stute setzte sich gemächlich in Bewegung, und über Jesahjas Gesicht huschte ein Lächeln. »Ich reite!«, rief er, und Wolke freute sich sichtlich über seine Begeisterung. Im Schritttempo ritt sie neben ihm her und erklärte ihm, wie er der Stute mit den Beinen Signale geben konnte. Es war offensichtlich, wie sehr sie es genoss, dem beliebtesten

Jungen der Schule zeigen zu können, was sie wusste.

Während Wolke mit Jesahja beschäftigt war, erlebte Lilli einen der glücklichsten Augenblicke ihres Lebens. Sie preschte mit Merlin über die Weide und hätte vor Freude die ganze Welt umarmen können. Auf einem Pferd zu sitzen und den Wind im Gesicht zu spüren ... das war einfach unbeschreiblich.

Merlin fragte sie übermütig, ob das nicht der »schönstherrliche« Ritt sei, den sie je erlebt hatte, und Lilli stimmte ihm aus ganzem Herzen zu. Nach einer Weile traute sich auch Jesahja, mit Wayomi in eine schnellere Gangart zu wechseln, und schließlich stürmten Lilli, Wolke und Jesahja nebeneinander über die Koppel. Rasputin schloss sich ihnen an und rannte mit, während Zucker damit beschäftigt war, sich über die Stelle mit dem frischen grünen Gras und den Wiesenblumen herzumachen, die durch Lillis Lachen entstanden war. »So was! Das pieksige Gestrüpp ist wieder frisch!«, murmelte Zucker mampfend. »Wie hat Merlin das hingekriegt?«

Wolke war viel zu beschäftigt, um das wunderliche Sprießen zu bemerken. Sie schien überglücklich, dass Lilli und Jesahja solchen Spaß hatten, und es war unübersehbar, wie viel Spaß sie selbst hatte. Nach über einer Stunde sagte sie jedoch: »Wir müssen langsam aufhören. Es ist schon spät.«

Seufzend zog Lilli an Merlins Zügeln. Der Schimmel begann sofort, sich zu beschweren. »Ich bin noch nicht fertig! Lass mich dir noch zeigen, wie flinkwendig ich –«

»Das geht leider nicht«, unterbrach ihn Lilli. »Ich hoffe aber, dass ich wiederkommen darf, und dann reiten wir wieder zusammen«, flüsterte sie ihm ins Ohr.

Wolke, Jesahja und Lilli stiegen ab, führten ihre Pferde in den Stall, nahmen das Zaumzeug und die Sättel ab und rieben die Pferde trocken. Wolke brachte Darling diesmal in einer anderen Box unter, direkt neben Merlin und Wayomi. Hier würde sie sich gewiss nicht allein fühlen.

Als Lilli und Jesahja sich verabschiedeten, fragte Wolke, ob sie gleich am nächsten Tag wieder reiten wollten. Lilli jubelte innerlich. Darauf hatte sie gehofft! Obwohl sie normalerweise nach der Schule immer in den Zoo ging –

denn dort arbeitete sie als Tier-Dolmetscherin – wollte sie am folgenden Tag gern wieder zum Jansenhof kommen. Im Zoo gab es momentan sowieso nicht viel zu tun.

Im Chor mit Jesahja rief sie lauthals: »Ja!«

# Schultag mit Überraschungen

Als Lilli am folgenden Morgen erwachte, streckte sie sich wohlig und lächelte. Sie hatte von dem Ritt auf Merlin geträumt und konnte es kaum erwarten, wieder zu reiten.

»Du siehst total fröhlich aus«, stellte Bonsai fest. Der weiße Winzling hatte die Vorderpfoten gegen Lillis Bett gestemmt und betrachtete sein Frauchen zufrieden. »Fröhlich finde ich gut.«

Lilli sprang mit Schwung aus dem Bett. »Ich freu mich auf den Tag!«, erklärte sie.

Bonsai wich ihr aus. »Freust du dich, weil du in die Schule gehen darfst?« Er ließ sein kleines

Hinterteil auf den Boden plumpsen. »Du hast bestimmt eine Menge Spaß, wenn da alle so fröhlich sind …«

Bevor Lilli antworten konnte, klopfte es an der Tür. Im gleichen Moment ging sie schon auf. »Hey! Wir sind spät dran!« Jesahja tippte auf seine Armbanduhr. »Halb acht!«

»Oh, Mist!« Sie hatte verschlafen! »Ich muss mich anziehen!« Lilli griff nach ihrem Pulli und scheuchte Jesahja aus dem Zimmer. Zehn Minuten später rannte sie mit ihm aus dem Haus und biss während des Laufens in ein Toastbrot, das ihr Vater ihr in die Hand gedrückt hatte.

Vor der Schule rief Jesahja knapp »Bis später!« und sprintete in Richtung seines Klassenzimmers davon. Lilli hetzte zu ihrer Klasse. Herr Gümnich wollte gerade die Tür schließen. Als er Lilli angelaufen kommen sah, wartete er jedoch auf sie. Auf seinem Gesicht breitete sich Verwunderung aus. Lilli stürmte in die Klasse. Kaum war sie drin, begannen einige der Schüler zu kichern. Lilli blieb stehen. Was war denn nur?

»Wie ich sehe, bist du nicht allein gekommen«, bemerkte Herr Gümnich schmunzelnd.

Lilli hob verwirrt die Achseln, da fiel ihr Blick

auf etwas Kleines, Weißes, das im Türrahmen stand und zaghaft mit dem Schwanz wedelte.
»Ich bin auch fröhlich!«, wuffte Bonsai. »Ich passe super hierher!«

Lilli blickte Herrn Gümnich entschuldigend an. »Tut mir leid. Er muss mir nachgelaufen sein.«

»So wie gestern? Da habe ich ihn auch schon vor der Schule gesehen.«

»Ja ...« Lilli war das Ganze furchtbar unangenehm. »Soll ich ihm sagen, dass er nach Hause gehen soll?«

Bonsai protestierte: »Zu Hause ist es langweilig!«

Der Lehrer betrachtete den Hund neugierig. »Was sagt er denn?«, fragte er, und Lilli war froh, dass auch Herr Gümnich über ihre Gabe Bescheid wusste.

»Er sagt, dass es zu Hause langweilig ist.«

Die Klasse lachte, ebenso der Lehrer. Dann wurde Herr Gümnich wieder ernst. »Weißt du ... vielleicht wäre es gar keine schlechte Idee, wenn er hierbliebe.«

Lilli hob verwundert die Augenbrauen.

»Ich habe gehört, dass sich die Anwesenheit

von Tieren positiv auf die Konzentrationsfähigkeit von Kindern auswirken kann«, sagte er überlegend. »Da dein Hund nun schon einmal hier ist, können wir das ja einfach mal ausprobieren.« Er richtete sich an die Klasse. »Ist jemand von euch allergisch gegen Hundehaare?« Niemand meldete sich. »Na wunderbar. Dann würde ich sagen, setz dich einfach hin, Liliane, und sag deinem Hund, dass er sich möglichst still verhalten soll.«

Lilli nickte überrascht. »Du kannst hierbleiben«, erklärte sie Bonsai. Sobald der kleine Hund das hörte, bellte er: »Jippieh!« und begann, wie wild mit dem Schwanz zu wedeln und an Lilli hochzuspringen. Deshalb fügte sie schnell hinzu: »Solange du keinen Radau machst.« Bonsai ließ augenblicklich von ihr ab, setzte sich hin und hechelte nur noch freundlich.

Lilli wandte sich ihrem Sitzplatz neben Wolke zu. Da sah sie, dass er besetzt war! Sonay, die am Tag zuvor krank gewesen war, hatte sich auf Lillis Platz niedergelassen, da Wolke auf ihrem eigenen saß.

»Tut mir leid«, sagte Sonay. »Ich wusste nicht, wo ich sonst hin sollte ...«

»Ich kann mich auch woanders hinsetzen«, bot Wolke sogleich an und wirkte wieder viel schüchterner als am Tag zuvor, als sie geritten waren.

Da raunte Gloria, die ganz in Wolkes Nähe saß: »Das wäre super. Mir tun die Augen weh, wenn ich ständig deine hässlichen Treter vor der Nase habe.«

Glorias Freundin Viktoria kicherte, und Wolke senkte beschämt den Blick. Sie trug auch an diesem Tag wieder ihre alten blauen Halbschuhe.

»Haben wir einen Platz zu wenig?«, klinkte Herr Gümnich sich ein. »Ist denn nirgendwo einer frei?« Er schaute sich suchend im Raum um. »Ah, da ist ja noch einer!«

Lilli folgte seinem Blick mit den Augen und erstarrte. Herr Gümnich wies auf den leeren Platz neben Trixi! Das konnte doch nicht sein Ernst sein! Trixi schaute den Lehrer ebenfalls an, als sei er verrückt geworden.

»Also, wer will auf den Platz neben Trixi?«, fragte er. »Liliane? Sonay? Wolke?«

Lillis Gedanken überschlugen sich. Trixi Korks war ihre Erzfeindin, aber sie hatte inzwischen gelernt, sich von ihr nicht mehr einschüchtern zu lassen. Wolke und Sonay hingegen waren schnell zu verunsichern.

»Ich setze mich neben Trixi«, hörte Lilli sich sagen.

»Wirklich?«, entfuhr es Herrn Gümnich in verdutztem Ton. »Gut, dann mach das doch.«

Trixi warf Lilli einen überraschten und zugleich finsteren Blick zu. Lilli stapfte zu Trixis Tisch und setzte sich. Bonsai folgte ihr fröhlich und ließ sich zufrieden schnaufend neben ihr nieder. Trixi verschränkte die Arme und starrte verdrießlich zum Lehrer.

In der Frühstückspause verließ Lilli fluchtartig ihren Platz und gesellte sich zu Wolke und Sonay. Bonsai tippelte derweil durch den Raum, schnupperte hierhin und dorthin und streckte genießerisch den Kopf in die Höhe, wenn einer der Schüler ihm den Nacken kraulte.

»Lilli, es tut mir leid, dass du …«, begann Wolke, doch Lilli winkte ab. »Schon gut.«

Plötzlich zuckte Sonay zusammen und starrte zum Fenster. Lilli hob den Blick, da sah sie es auch: Zwei große grüne Augen spähten neugierig durch die Fensterscheibe ins Klassenzimmer hinein. »Frau von …«, murmelte Lilli.

»Schmidti!«, bellte Bonsai. »Schmidti! Hallo!« Er wedelte wie wild mit dem Schwanz und sprang vor Freude kläffend in die Höhe.

Der Lehrer fragte: »Kennst du die Katze, Liliane?«

»Ähm … ja.«

»Kann es sein, dass sie dir ebenfalls nachgelaufen ist?«

»Das … wäre möglich.«

Herr Gümnich seufzte. »Na, dann hol sie eben auch herein!« Er machte eine nachgiebige Handbewegung. »Bevor sie sich an der Scheibe die Nase platt drückt …«

Lilli nickte verlegen. »Komm, Bonsai«, sagte sie und marschierte, gefolgt von dem zotteligen Winzling, aus dem Klassenraum und auf den Schulhof. »Frau von Schmidt!«, rief sie schon von Weitem.

»Hocherfreut, Sie zu sehen, Madame von Susewind.« Die orange getigerte Katze kam mit geschmeidigen kleinen Schritten auf sie zu.

»Schmidti!«, johlte Bonsai und stürzte zu ihr. »Mannomann, Schmidti!« Begeistert schleck-

te er über ihr glänzendes Fell und die edlen Schnurrhaare.

Frau von Schmidt ließ Bonsai mit würdevoller Haltung gewähren. »Madame, bitte teilen Sie Herrn von Bonsai mit, dass ich seine Begrüßung wieder einmal als höchst galant empfinde.« Lilli stöhnte. Die beiden taten immer, als hätten sie einander ewig nicht gesehen! Rasch übersetzte sie, und Bonsai war begeistert. »Schmidti leuchtet schön!«, stellte er unzusammenhängend fest.

Die Katze, die den Hund nicht verstand, erklärte Lilli: »Heute Morgen dachte ich bei mir, es sei eine wahrlich erbauliche Unternehmung, Ihrer und Herrn von Bonsais Spur zu folgen. Wie ich nun aber erkennen muss, ist dieser Ort bemerkenswert öde.«

Lilli stutzte. »Verehrteste, wenn Sie diesen Ort als –«

»Öde!«, versetzte die Katze nachdrücklich.

»... ja, als öde empfinden, möchten Sie dann überhaupt länger hier verweilen oder würden Sie nicht lieber wieder nach Hause gehen?«

»Darüber muss ich sinnieren.« Die Katze setzte sich und begann, langsam mit dem Schwanz über den Boden zu wischen.

Da klingelte es. Einen Augenblick später drängten die ersten Schüler aus dem Schulgebäude auf den Hof – ein paar Jungs, die sich gegenseitig anrempelten und herumstießen. Frau von Schmidt beobachtete sie interessiert. »Wie nennt sich dies harsche Gefecht der Halbstarken, Madame?«, miaute sie.

»Hofpause«, erwiderte Lilli.

»Nun, ein Ereignis wie dieses könnte die bisherige Ödnis womöglich vertreiben«, näselte die Katze, sprang auf eine Bank und ließ sich hoheitsvoll nieder, um das Geschehen weiter zu verfolgen.

Bonsai nahm Anlauf, hüpfte ebenfalls hinauf und setzte sich neben Frau von Schmidt. »Was machen wir hier?«, hechelte er. »Spielen wir *Wer zuerst was Interessantes riecht?*« Schon klebte seine Nase an der Bank.

Frau von Schmidt verfolgte unterdessen mit kritischer Miene, was sich auf dem Schulhof tat. Lilli ließ ihren Blick ebenfalls über die Schülerhorden gleiten, die sich nach und nach auf dem Hof ansammelten. Dabei entdeckte sie Wolke. Diese stand wieder in der abgelegenen Ecke, in die sie sich schon am Tag zuvor zurückgezogen hatte. Lilli sog scharf die Luft ein, als sie erkannte, dass Gloria und Viktoria sich vor Wolke aufgebaut hatten. Sie schienen über Wolke zu lachen.

»Kommt mit!«, rief Lilli der Katze und dem Hund zu und durchquerte im Laufschritt den Schulhof. Als sie an Jesahja und seinen Anhängern vorüberkam, rief sie Jesahja zu: »Wolke ist in Schwierigkeiten!« Sie hatte allerdings keine Zeit, auf seine Reaktion zu warten. Sie musste weiter.

Keine drei Sekunden später war Jesahja an ihrer Seite. »Trixi?«, fragte er besorgt. Lilli schüttelte den Kopf. Mindestens zehn Jungs und Mädchen, die bei Jesahja gestanden hatten, folgten ihnen. Wolke sah sie kommen. Doch anders als am Tag zuvor schien ihr die große Gruppe, die nun auf sie zustürmte, keine Angst zu machen. Diesmal war es mehr als deutlich, dass sie erleichtert war, sie zu sehen.

»Meine Oma trägt übrigens auch solche Schuhe wie du«, spottete Gloria gerade. Viktoria lachte.

»Hey, Zicken!«, rief Jesahja schneidend. Gloria und Viktoria drehten sich überrascht um.

Jesahja verschränkte die Arme. Er musste gar nichts sagen. Die Tatsache, dass sich plötzlich eine Mauer aus Schülern vor Gloria und Viktoria aufgebaut hatte, genügte.

»Schon gut.« Gloria hob beschwichtigend die Hände. »Wir unterhalten uns ja nur …«

Jesahja schüttelte skeptisch den Kopf, und Gloria gab sich geschlagen. Sie wandte sich ab und hastete davon. Viktoria machte, dass sie hinterherkam.

Da fiel Lilli auf, dass Trixi sie beobachtete. Sie stand ganz in der Nähe, mit Kopfhörerstöpseln in den Ohren. Doch als Trixi merkte, dass Lilli sie anschaute, verschwand sie zwischen den anderen Schülern.

Lilli hörte Wolke krächzen: »Ich …« Offenbar konnte sie keinen Ton herausbringen. Ihr dankbarer Gesichtsausdruck sagte allerdings genug.

Jesahja erwiderte: »Kein Ding«, nickte Lilli zu und schlenderte fort. Seine Fans folgten ihm.

»Ein wahrhaft meisterhaftes Duell!«, ertönte gleich darauf Frau von Schmidts Stimme. »Gänzlich anders als das Gefecht der barschen Raubeine zuvor, aber nicht minder glanzvoll! Ich muss sagen, die kämpferische Vielfältigkeit dieser sogenannten *Hofpause* ist einfach fulminant.«

Lilli schnitt eine Grimasse.

»Können wir jetzt wieder schnuppern gehen?« Bonsai machte einen kleinen, auffordernden Satz nach vorn. Lilli kniete sich neben die beiden und legte Bonsai beschwichtigend die Hand auf den Rücken. »Ich muss gleich wieder in den Unterricht. Ihr könnt mit mir kommen oder wieder nach Hause gehen – wie ihr möchtet.«

»Wieder rein!«, quietschte Bonsai. »Lass uns Schmidti zeigen, wie fröhlich wir sind!«

Gleichzeitig maunzte die Katze geziert: »Nun, ich werde mir die Örtlichkeiten einmal ansehen. Falls sie mir aber nicht zusagen, werde ich zeitnah von dannen ziehen.«

Wolke räusperte sich und spielte an ihrem bronzefarbenen Pferdeanhänger herum. »Danke für deine Hilfe, Lilli.«

»Ich hab ja eigentlich gar nichts gemacht ...«, wehrte Lilli ab. Jesahja und seine Anhängerschaft hatten Gloria und Viktoria in die Flucht geschlagen.

»Wenn du möchtest, kannst du deinen Hund

und die Katze ja heute Nachmittag zum Hof mitbringen«, schlug Wolke vor.

Das erinnerte Lilli daran, was sie an diesem Tag noch vorhatten. Ein Lächeln breitete sich auf ihrem Gesicht aus. »Ja, gern!«, antwortete sie und konnte es nun kaum noch erwarten, dass es endlich Nachmittag wurde.

# Ein wunderprächtiger Ausritt

Nach der Schule warteten Lilli und Wolke mit Bonsai und Frau von Schmidt vor dem Schultor auf Jesahja. Der Katze hatte der Vormittag im Klassenraum »im Großen und Ganzen zugesagt«, und der Hund fand die Schule »supi«.

Als Jesahja schließlich aus dem Gebäude kam, war er nicht allein. Torben, Fabio und ein paar andere Jungs aus seiner Klasse klebten an ihm und sprachen eifrig auf ihn ein. Lilli hörte Wolke neben sich tief Luft holen.

Jesahja blieb bei den Mädchen stehen. »Hi«, grüßte er.

Die Jungs verstummten und beäugten Lilli und Wolke. »Bist du mit denen verabredet?«, fragte Torben und wies mit dem Kinn auf Wolke. »Mit *der da?*«

Wolke zog die Schultern nach oben, und plötzlich wirkte sie viel kleiner als sie ohnehin schon war.

Bevor irgendjemand etwas sagen konnte, fügte Torben hinzu: »Wir spielen gleich drüben auf dem Platz Fußball. Willst du nicht lieber bei uns mitmachen?«

Jesahja schüttelte den Kopf. »Wir gehen reiten.«

»Reiten? Das machen doch nur Mädchen!«

»Kann nicht sein«, sagte Jesahja. »Ich mach es ja auch.«

Lilli grinste verstohlen.

»Musst du selbst wissen.« Torben zuckte die Achseln.

»Ja, weiß ich«, versicherte Jesahja ihm und verabschiedete sich mit einem lässigen Handshake.

Als Torben und die anderen schließlich fort waren, atmete Wolke auf. Torbens Verhalten schien sie getroffen zu haben, aber Lilli wusste nicht, was sie sagen sollte, um Wolke zu trösten.

Schließlich machten sie sich auf den Weg zum Reiterhof. Frau von Schmidt war »ein wenig ermattet« und musste deshalb von ihnen getragen werden. Nach einem kurzen Marsch erreichten sie den Hof der Jansens. In der Einfahrt kam ihnen Tom, Wolkes Bruder, entgegen. Er trug alte Stiefel, und sein Haar war ebenso verstrubbelt wie am Vortag. Neugierig musterte er Lilli. »Hallo Wundermädchen!«, rief er.

Lilli zog erstaunt die Augenbrauen in die Höhe.

Da warf Wolke ihr einen entschuldigenden Blick zu. »Ich … äh … hab ihm erzählt, dass du mit Tieren sprechen kannst.«

Lilli drückte die Katze auf ihrem Arm vor Schreck fest an sich. Frau von Schmidt miaute entrüstet. »Obacht! Sie zerknittern mein Fell!«

»Aber …«, knirschte Wolke, »… Tom glaubt mir nicht.«

»Stimmt.« Tom grinste kopfschüttelnd. »Du solltest endlich zugeben, dass du geflunkert hast, Wölkchen.«

»Habe ich nicht!«, widersprach Wolke und wandte sich hilfesuchend an Lilli. »Richtig?«

Lilli spürte, wie ihre Wangen feuerrot wurden.

Zum Glück trat Slavika in diesem Augenblick aus dem Haus und lenkte die Aufmerksamkeit von Lilli ab. Wie am Tag zuvor trug sie eine Baseballkappe und Latzhosen. »Hallo Maus!«, rief sie, und ihr Akzent fiel Lilli noch mehr auf als zuvor. »Oh! Deine magische Freundin ist auch wieder da!«

Lilli ächzte, und ihre Finger gruben sich tief in Frau von Schmidts Fell. Die Katze fauchte: »Wollen Sie mich zermalmen?« Sie wand sich hin und her. »Sofort absetzen!«

Lilli ließ sie auf die Erde springen.

»Da!«, rief Wolke. »Die Katze hat mit Lilli gesprochen!«

Slavika und Tom lachten.

»Nein, im Ernst! Es stimmt doch, Lilli, oder?«

Lilli schluckte. »Ähm … ja.«

Slavika und Tom lächelten nachsichtig.

Währenddessen hielt Bonsai schnüffelnd die Nase in die Luft. »Was ist das, Lilli?«, wuffte er.

»Kann ich da mal hinlaufen? Es riecht nach den Gestreiften im Zoo …«

»Du meinst Zebras«, bemerkte Lilli ohne nachzudenken und hielt erschrocken inne, denn Slavika und Tom blickten sie amüsiert an. »Zebras?«, fragte Tom.

Der Hund trippelte neugierig in Richtung der Ställe. Lilli wollte verhindern, dass er allein auf Erkundungstour ging. Deshalb rief sie: »Bonsai, stopp!«

Bonsai blieb stehen und grummelte: »Och, schade …« Aber er beeilte sich, zu Lilli zurückzukommen.

»Seht ihr?«, rief Wolke. »Der Hund versteht Lilli!«

Tom verschränkte grinsend die Arme. »Gibt's ja gar nicht! Ein Hund, der kommt, wenn man ihn ruft!«

Wolke schaute Lilli flehend an, und Lilli gab sich einen Ruck. Wolke sollte nicht als Lügnerin dastehen. Mit hochrotem Gesicht wandte Lilli sich an Bonsai und Frau von Schmidt und fragte: »Könntet ihr mir einen Gefallen tun und abwechselnd über den Rücken des anderen springen?«

Frau von Schmidt verzog das Gesicht. »Wie primitiv!«

»Au ja!«, bellte Bonsai. »Komm, Schmidti! Lass uns rumhüpfen!« Aus dem Stand hopste der kleine Hund über den Rücken der Katzendame. »Jetzt du!«

Frau von Schmidt blickte mürrisch drein, überlegte es sich dann aber und sprang mit einem flinken Satz über Bonsais Rücken. »Genügt dies, Madame? Oder wünschen Sie etwa, dass wir diese geistlose Betätigung wiederholen?«

Lilli schaute prüfend in Toms und Slavikas verblüffte Gesichter. »Nein, danke. Das genügt schon.«

»Das ist in der Tat beeindruckend«, murmelte Slavika.

Da hörten sie Hufgetrappel. Annabell kam über den Hof auf sie zu. Sie führte Merlin an einem Halfter. Sobald der große Schimmel Lilli entdeckte, wieherte er freudig: »Lilli-i-i! Da bist du ja wieder!« Er machte einen Satz auf Lilli zu. Annabell versuchte, ihn festzuhalten, aber Merlin riss sich los und stürmte heran. »Hallo! Hey! Na? Wollen wir wieder ausreiten?«, quietschte er im Laufen.

»Ui!«, keuchte Bonsai und wich ein paar Schritte zurück. »Ein Riesenzebra!«

Sobald Merlin bei Lilli war, wuschelte er aufgeregt mit seinem weichen Maul durch Lillis roten Lockenkopf. »Lilli …«

Lilli kicherte. »Hallo Merlin. Ich würde gern wieder mit dir ausreiten.«

»Oh, ja! Jetzt? Oder gleich? Besser jetzt gleich!«

Lilli wollte gerade Slavika fragen, ob das ginge, doch das nachdenkliche Gesicht der braunhaarigen Frau hielt sie ab. »Merlin scheint dich sehr zu mögen …«, stellte sie fest.

Annabell kam heran. »Was ist denn mit ihm los?« Sie griff nach Merlins Halfter, um den umhertänzelnden Schimmel zur Ruhe zu bringen. »Warum führt er sich so auf?«

Slavika sagte leise: »Ich glaube, das liegt an Lilli.«

»Ja!«, pflichtete Wolke ihr bei. »Ich habe euch doch gesagt, dass sie mit Tieren sprechen kann!«

Annabell, Slavika und Tom starrten Lilli nun forschend an und schienen sich zu fragen, ob Wolke recht haben könnte.

»Ich ... also ... ich habe eine Gabe«, stammelte Lilli.

»Weiß ich doch«, erwiderte Merlin ungeduldig. »Können wir jetzt losreiten?«

Annabell sah Lilli aus zusammengekniffenen Augen an. »Was hat Merlin gerade geschnaubt?«

»Er möchte, dass wir so schnell wie möglich losreiten.«

»Um das zu erkennen, braucht man keine besondere Gabe.« Offenbar glaubte Annabell Lilli noch nicht. Dann schien sie eine Idee zu haben. »Wo kommen Merlin und ich gerade her?«

Lilli fragte den Schimmel. Merlin antwortete sofort. »Ich war mit dem gelbhaarigen Frauchen beim *Im Kreis laufen*.«

Lilli übersetzte. Annabells Gesicht wurde kreideweiß. »Das stimmt ...«, stieß sie hervor. »Ich habe ihn longiert.«

»Was ist denn *longieren*?«, fragte Lilli.

»Ich habe ihn an einer Longe, also an einem langen Seil, im Kreis laufen lassen«, erwiderte Annabell aufgeregt. »Das machen wir zur Muskelauflockerung ...«

»Das gibt's ja gar nicht!« Slavika lachte erstaunt. »Stimmt es also wirklich? Du bist eine Tierflüsterin?«

Lilli legte den Kopf schief. Das war ein seltsames Wort.

Tom kratzte sich verlegen am Kinn. »Tja, Wölkchen, dann tut es mir leid, dass ich dir nicht geglaubt habe.«

»Schon gut«, wehrte Wolke ab und schien vor Stolz beinahe zu platzen.

»Also, ich wäre dann so weit«, bemerkte Merlin und stieß Lilli sanft an. »Meinetwegen könnten wir los.«

»Es dauert bestimmt nicht mehr lange«, beruhigte Lilli ihn lachend.

Wolke klatschte in die Hände. »Ja! Lasst uns nicht länger hier rumstehen! Komm, Jesahja, holen wir Darling und Wayomi.« Wolke zog Jesahja mit sich fort. Lilli blieb bei den anderen stehen, denn Merlin war bereits gesattelt. Plötzlich prustete er: »Oh! Lecker!«, und biss in ein frisches Grasbüschel, das gerade zwischen Lillis Füßen gewachsen war. In der Mitte prangte eine gelbe Löwenzahnblüte. »So was habe ich lange nicht mehr gefressen!«

Lilli überkam es heiß und kalt zugleich.

»Komisch,« bemerkte Tom kurz darauf. »Ich könnte schwören, das Grasbüschel war eben noch nicht da.«

»Ja, wirklich komisch«, stimmte Annabell zu. »Auf der Südweide gibt es auch einen grünen ... Klecks. Zwischen dem verdorrten Gras ist eine grüne Stelle mit Wiesenblumen gewachsen.«

»Ja, die hab ich auch gesehen!«, fiel Tom ein.

Slavika seufzte. »Das wird unser Problem allerdings nicht beheben. Wenn es nicht bald regnet, haben die Pferde auf den Koppeln nichts mehr zu grasen, und wir müssen sie mit teurem Futter füttern – für das wir kein Geld haben.«

Tom senkte den Kopf. Es schien ihm peinlich zu sein, dass seine Mutter vor Lilli so offen darüber sprach.

Zum Glück kamen Jesahja und Wolke rasch mit ihren Pferden zurück. Als Darling und Wayomi Lilli sahen, trabten sie im Eilschritt herbei, drängten sich an sie heran und schnupperten an ihr. »Pferdemädchen!«, grüßte Darling. »Ich sage Hallo.« Wayomi knabberte an Lillis Ohr. Lilli hätte beinahe gekichert, aber sie riss sich zusammen. Das Grasbüschel durfte auf keinen Fall weiterwachsen!

»Also, jetzt könnten wir doch eigentlich loslegen …«, schnaubte Merlin. »Ich komme einfach schon mal runter, ja?« Schon kniete er sich vor Lilli.

»Mama! Guck dir das an!«, rief Wolke. Doch sie musste ihre Mutter gar nicht erst dazu auffordern. Annabell, Slavika und Tom verfolgten mit staunenden Gesichtern, wie nun auch Darling und Wayomi vor den Kindern in die Knie gingen.

»Das ist echt abgefahren …«, murmelte Tom.

Lilli verlor keine weitere Zeit und kletterte auf den Sattel. Jesahja und Wolke stiegen ebenfalls auf, und gleich darauf standen alle drei Pferde wieder aufrecht.

»Wir reiten ein bisschen durch den Wald, Mama«, erklärte Wolke. »Okay?« Annabell nickte geistesabwesend.

Lilli setzte die Reiterkappe auf, die Wolke ihr reichte, und dann flüsterte sie Merlin ins Ohr: »Na, los! Lauf!«

»Juhu-u-u!«, wieherte Merlin, setzte sich jählings in Bewegung und preschte schon im nächsten Augenblick den Weg hinunter. Lilli hielt sich fest und lehnte sich nach vorn. Der Wind pfiff ihr um die Ohren, und die Landschaft zog im Blitztempo an ihr vorüber. Wie am Tag zuvor fühlte Lilli sich leicht und frei, als wäre sie dafür geboren, auf einem Pferderücken zu sitzen. Sie konnte nicht anders und jauchzte laut auf. »Jippi-i-ieh!!«, fiel Merlin in ihren Freudenschrei ein und sauste wie ein Pfeil über den Weg.

Da fiel Lilli auf, dass Wolke und Jesahja weit hinter ihnen zurückblieben. Sie rief Merlin zu, er solle langsamer laufen, und der Schimmel verfiel widerstrebend in einen langsamen Trab. Kurz darauf holten die beiden sie ein.

»Du bist abgezischt wie eine Rakete! Respekt!«, rief Jesahja. »Aber ich lass es lieber langsam angehen.« Er lächelte schräg, und Lilli nickte.

Im Schritttempo ritten sie nun einen Feldweg entlang, der in den Wald hineinführte. Da hörte Lilli plötzlich eine Stimme rufen: »Lilli! Das ist unfair! Ich kann nicht so schnell rennen wie die Riesenzebras!«

Lilli überkam es wie eine kalte Dusche. »Bonsai!«

Der kleine weiße Hund schoss mit weit heraushängender Zunge über den Weg heran. Ein Stück hinter ihm folgte Frau von Schmidt mit verärgerter Miene.

»Wir haben die Tiere vergessen!«, stieß Lilli hervor. »Tut mir leid, Bonsai!«, sagte sie schuldbewusst, sobald der kleine Hund sie eingeholt hatte.

»Schon okay«, japste der Winzling.

»Ein solch taktloses Verhalten verbitte ich mir!« Frau von Schmidt stelzte zeternd auf sie zu. »Eine Persönlichkeit wie ich wird nicht einfach stehen gelassen!«

»Bitte verzeihen Sie«, bat Lilli reumütig. »Es war alles so aufregend und …«

»Papperlapapp!«, unterbrach die Katze sie säuerlich. »Ich wünsche augenblicklich auf eine der Laufherrschaften hinaufgehoben zu werden!«

»Sie möchten reiten?«

»Natürlich! Warum hätte ich mir sonst die Mühe gemacht, Ihnen zu folgen und mich dabei derart zu erhitzen?«

Merlin fragte: »Sollen wir die Zwerge aufladen, Lilli?«

»Also … ja, wenn das geht?« Lilli überlegte,

und ihr Blick fiel auf die Taschen an Merlins Sattel. »Wir könnten ...«

Schon ging Merlin in die Knie.

»Und ... hopp!«, kläffte Bonsai ohne Umschweife und sprang an Merlin hoch. Lilli erwischte ihn am Nacken, zog ihn hinauf und öffnete eine der Satteltaschen. Bonsai war es gewöhnt, in Lillis Rucksack transportiert zu werden, wenn sie mit dem Rad fuhr. Daher zögerte er nicht und rutschte so weit in die Satteltasche hinein, bis nur noch sein Kopf herausguckte.

Frau von Schmidt sprang währenddessen mit einem gewandten Satz auf Merlins Sattel, schaute sich kritisch um und verkündete: »Ich reise in der zweiten Sänfte.« Sie meinte die Satteltasche auf der anderen Seite des Sattels.

»Selbstverständlich, Madame.« Lilli hielt die Tasche auf, damit die Katze hineinschlüpfen konnte.

»Wir können nun aufbrechen«, teilte Frau von Schmidt mit und blickte erwartungsvoll umher.

Merlin erhob sich. »Geht's jetzt weiter? Ja?«

»Ja, bitte!«, forderte Lilli ihn lächelnd auf, und der Schimmel setzte sich in Bewegung. Bonsai schnappte nach Luft. »Das Riesenzebra ist ein Fahrrad!«, krähte er. Frau von Schmidt stellte indessen fest, dass die Reise »überaus schunkelhaft« sei und dass nur gestandene Katzen von Welt eine solch halsbrecherische Unternehmung überstehen könnten.

Sie ritten nun über ausgetretene Trampelpfade, kleine Lichtungen und dicht bewachsene Wege. Hin und wieder mussten sie sich ducken, um einem tief hängenden Ast auszuweichen, aber das machte das Ganze nur noch aufregender. Merlin erzählte Lilli währenddessen, wie gern er unterwegs war und was für ein »wunderprächtiger Ausritt« dies doch sei. Sie konnte ihm nur zustimmen.

»Du weißt ja, ich bin das berühmtbeste Pferd der Welt«, plauderte Merlin schnaubend. »Andere Pferde springen nicht so famosartig wie ich. Keins! Das stimmt.«

Lilli lächelte versonnen vor sich hin und hörte Merlin nur mit halbem Ohr zu.

»Die anderen Pferde haben früher bei den Gegnertreffen oft die Barrikaden runtergerissen. Aber ich fast nie. Im Ernst! Ich fast nie. Deswegen bin ich ja so berühmt. Alle kennen mich.

Wirklich. Das stimmt. Was …« Der Schimmel blieb unvermittelt stehen. Er schien irgendetwas entdeckt zu haben. »Oh! Das ist ja wunderherrlich. Ui-i-i! Ich zeige dir, was ich meine!« Er brach zur Seite aus. Lilli wusste kaum, wie ihr geschah. Merlin galoppierte los und stürmte auf eine Lichtung zu. Da erkannte Lilli, was sein Ziel war: ein dicker, umgestürzter Baum. Ein perfektes Hindernis.

»Nicht so schnell!«, gellte Bonsai mit flatternden Ohren. Doch Lilli wusste, dass sie Merlin nicht würde stoppen können. Der Schimmel wollte springen. Und Lilli stellte fest, dass sie es ebenfalls wollte. Wie fühlte es sich wohl an, über den Baumstamm durch die Luft zu sausen?

Sie kamen dem umgestürzten Baum immer näher. Lilli wappnete sich innerlich und rief Bonsai und Frau von Schmidt zu, sie sollten sich in die Taschen hineinducken. Die Katze gehorchte jedoch nicht, sondern streckte den Kopf noch weiter heraus und maunzte verzückt: »Einfach atemberaubend!«

Instinktiv lehnte Lilli sich nach vorn, und als Merlin sprang, warf sie sich mit ihrem ganzen Körper in die Bewegung hinein. Es fühlte sich an wie Fliegen. Für einen Augenblick dachte Lilli, sie habe Flügel und tanze schwerelos im Wind.

Als Merlin wieder auf dem Boden aufsetzte, musste sie sich zwar an seinem Hals festklammern, um nicht hinunterzufallen, aber das schmälerte ihr Hochgefühl nicht im Mindesten. »Wir sind gesprungen!«, schrie sie begeistert.

»Ja-a-a! Oh, ja! Ich kann es noch!«, johlte Merlin. »Ich bin immer noch das berühmtbeste Pferd der Welt! Im Ernst! Das stimmt!« Er schüttelte aufgekratzt die grauweiße Mähne.

Lilli hörte Bonsai jaulen: »Mir ist schlecht.«

»Tut mir leid ...«, begann Lilli, da kamen Wolke und Jesahja auf ihren Pferden heran. »Alles okay, Lilli?«, rief Wolke mit erschrockenem Gesicht.

»Habt ihr das gesehen?«, sprudelte Lilli aufgeregt hervor. »Ich glaube, Merlins Bein behindert ihn gar nicht!«

»Mein Bein?«, wiederholte Merlin. »Was soll denn mit meinem Bein nicht in Ordnung sein?«

»Tut es dir denn nicht weh?«

»Nein. Hat es früher mal. Aber schon lange nicht mehr.«

Lilli übersetzte, und Wolkes Gesicht nahm einen sehr nachdenklichen Ausdruck an.

»Vielleicht solltet ihr ihn öfter springen lassen!«, bemerkte Lilli atemlos. Als Merlin das hörte, verkündete er lautstark seine Zustimmung. Wolke versprach, mit Annabell und Slavika darüber zu sprechen. Lilli strahlte und übersetzte Merlin, was Wolke gesagt hatte. Der Schimmel jubelte: »Ja! Oh, ja!« Dann rannte er wieder los, steuerte in einem großen Bogen erneut auf den Baumstamm zu und flog ein zweites Mal über ihn hinweg. Lilli quietschte vor Vergnügen. Währenddessen übergab Bonsai sich in die Satteltasche.

# Egobert

Als sie wenig später auf den Reiterhof zurückkehrten, bemerkte Lilli einen Mann bei den Ställen. Er war mittleren Alters, hatte dünnes blondes Haar und ein verschlossenes, kantiges Gesicht. »Hallo Egobert!«, rief Wolke ihm zu, und der Mann grüßte knapp mit der Hand. Lilli erinnerte sich, dass Wolke diesen Namen schon einmal erwähnt hatte. Der Mann musste Storms Trainer sein!

Lilli, Wolke und Jesahja stiegen von den durchgeschwitzten Pferden ab und führten sie zu den Ställen. Frau von Schmidt schaute mit würdevoller Miene aus ihrer Satteltasche heraus und murmelte, dass diese Art der Beförderung »wahrhaft königlich« sei. Bonsai hingegen war ihnen auf dem Rückweg zu Fuß nachgelaufen, da er nach Merlins zweitem Sprung keine Sekunde länger auf dem »Riesenfahrrad« hatte mitreiten wollen. Er watschelte nun müde hinter ihnen her, und Lilli dachte seufzend daran, dass sie die Satteltasche säubern musste.

Da hörte sie plötzlich einen Schrei. Mit markerschütternder Stimme schrie jemand: »Nein! Geh weg!« Lilli konnte vor lauter Schreck nicht sagen, ob es ein Mensch oder ein Tier gewesen war. Bestürzt blickte sie sich um. Wolke und Jesahja trotteten erschöpft vor sich hin. Sie schienen nichts Beunruhigendes gehört zu haben.

Da erklang der Schrei abermals. »Nein! Lass mich in Ruhe! Nei-i-in!« Lilli blieb wie angewurzelt stehen. Es war Storm! Sie erkannte die Wut in seiner Stimme wieder.

»Was ist los?« Jesahja blieb ebenfalls stehen.

»Das Wiehern …«, murmelte Lilli.

Wolke antwortete: »Das ist wahrscheinlich Storm. Er regt sich immer so auf, wenn Egobert ihn aus dem Stall holt.« Sie fuhr sich mit dem

Ärmel über die schweißnasse Stirn. »Storm ist ein richtiger Dickschädel und stellt sich am Anfang immer gern stur. Aber Egobert hat ihn gut im Griff. Nach einer Weile tut Storm jedes Mal genau das, was Egobert von ihm will. Er ist wirklich ein super Trainer.«

Lilli bekam eine Gänsehaut, obwohl sie nicht genau wusste, warum.

»Trainieren die beiden jetzt?«, fragte Jesahja.

»Nein, Egobert will ihn bestimmt nur mit Wasser abspritzen, um ihn vom Staub zu befreien. Er trainiert Storm immer nur sehr früh morgens, im Morgengrauen, oder sehr spät abends, wenn es schon dunkel ist.« Als Lilli und Jesahja sie fragend ansahen, fügte Wolke hinzu: »Egobert hat uns erklärt, dass das für seine Trainingsmethode sehr wichtig ist.«

»Was ist das für eine Methode?«

Wolke zögerte. »Das kann ich gar nicht so genau sagen …«

»Du weißt es nicht?«, fragte Jesahja erstaunt. »Hast du die beiden denn schon mal zusammen trainieren gesehen?«

Wolke zögerte wieder, dann schüttelte sie den Kopf. »Nein. Aber ich bin mir sicher, dass

Egobert ein sehr guter Trainer ist. Er hat schon viele Springturniere gewonnen. Er hat uns seine Medaillen gezeigt!«

Jesahja runzelte die Stirn. Irgendetwas schien in seinem Kopf vorzugehen, und Lilli fragte sich, was es war.

Sie brachten die Pferde in die Ställe, sattelten sie ab und rieben sie trocken. Frau von Schmidt und Bonsai machten es sich unterdessen im Heu gemütlich und schliefen auf der Stelle ein. Während Lilli Merlin den Rücken abrieb, schnaubte der Schimmel zufrieden vor sich hin und bedankte sich bei Lilli für das »glücksgrandiose Abenteuer«. Doch Lilli war mit den Gedanken bei Storm und Egobert. War der Hengst tatsächlich einfach nur störrisch?

Als sie schließlich aus den Ställen heraustraten, um etwas trinken zu gehen, führte Egobert Storm gerade aus seiner Box. Lilli bemerkte sofort, wie angespannt der schwarze Hengst war. Seine Ohren zuckten und seine Augen blickten wild umher. Egobert zog Storm mit unerbittlichem Griff am Halfter. Plötzlich aber blieb der Hengst stehen, stemmte sich mit aller Kraft in die entgegengesetzte Richtung und röchelte:

»Ich gehe nicht mit dir!« Egobert zog kurz und heftig am Halfter. Lilli konnte hören, wie das Metallstück der Trense in Storms Maul gegen seine Zähne schlug. Erschrocken fuhr sie sich mit der Hand an den Mund.

Der Hengst schüttelte sich und schrie auf: »Geh weg! Ich hasse dich!« Aber Egobert ließ sich nicht beirren. Er zog erbarmungslos am Halfter und dirigierte Storm mit seiner Reitgerte, damit er nicht zur Seite ausbrechen konnte.

Lilli konnte nicht länger an sich halten. »Storm will nicht mit Egobert gehen!«, brach es aus ihr heraus.

Kaum hatte sie dies ausgesprochen, fuhr der Kopf des Hengstes zu ihr herum. Mit weit aufgerissenen Augen starrte er Lilli an. Es lag so viel Furcht und Zorn in diesem Blick, dass es Lilli den Atem verschlug.

Egobert schaute ebenfalls herüber.

»Storm stellt sich immer so an«, flüsterte Wolke. »Aber man muss ihn nun mal hart anfassen. Er ist sonst kaum zu bändigen. Egobert weiß, was er tut.«

Lilli schüttelte den Kopf. »Storm hat Angst vor ihm!«

Wolke öffnete den Mund, um etwas zu sagen, schloss ihn dann jedoch wieder. Unschlüssig blickte sie zu Egobert, der gerade wieder grob am Halfter zog. Der Hengst riss hektisch den Kopf zurück und wieherte schrill, aber Egobert ließ ihn nicht los. »Was sagt Storm jetzt?«, fragte Wolke.

»Er hasst Egobert.«

Wolke schluckte und schwieg.

Da schaute Egobert abermals zu Lilli herüber. Seine Augen bohrten sich regelrecht in ihre. Lilli wurde kalt. »Was redet ihr denn da?«, rief Egobert und wollte offenbar herüberkommen. Er zog Storm in Lillis Richtung, und mit einem Mal folgte ihm der Hengst ohne Widerwillen.

Kaum standen sie vor Lilli und den anderen beiden, verlangte Egobert zu wissen: »Was soll das Gerede darüber, was das Pferd *sagt*? Ist das irgendein Spiel von euch?«

Lilli, Jesahja und Wolke schwiegen. Egoberts Blick war so unfreundlich, dass man es kaum wagte, sich auch nur zu bewegen. »Ich spreche mit euch!«, donnerte Egobert.

Jesahja murmelte: »Und Lilli spricht mit Tieren.«

»Was?«

Lilli schaute Jesahja erschrocken an. Aber dann wurde ihr klar, dass es am besten war, Egobert gegenüber gleich mit der Wahrheit herauszurücken. Er würde ihr Geheimnis früher oder später sowieso erfahren. »Ich … weiß, was Storm gesagt hat«, erklärte Lilli vorsichtig.

Egoberts Blick wurde noch drohender, und Lilli wäre am liebsten weggelaufen. Aber dann fasste sie sich ein Herz und sagte: »Er mag Sie nicht. Er will nicht mit Ihnen gehen.« Sie war froh, dass Jesahja und Wolke neben ihr standen, denn Egobert sah aus, als wollte er Lilli am liebsten erwürgen.

»Dann sagt er das eben!«, blaffte er. Überraschenderweise schien er ihr ohne Beweis zu glauben. »Hier geht es nicht darum, was das Pferd will!« Mit diesen Worten stampfte er davon und zerrte den widerstrebenden Storm mit ruppigen Bewegungen hinter sich her.

Lilli, Wolke und Jesahja standen perplex da und starrten ihm nach. Wolke schien das Gespräch sehr nachdenklich gemacht zu haben, aber sie sagte nichts. Nach einer Weile brach Jesahja das Schweigen. »Ich habe Durst.«

»Ich auch«, murmelte Wolke und schlug den Weg zum Haus ein. Als Lilli folgen wollte, fiel ihr ein, dass sie etwas vergessen hatte. »Ich muss ja noch die Satteltasche sauber machen, in die Bonsai gekotzt hat!« Sie stöhnte. »Ich komme später nach, okay?«

Wolke und Jesahja nickten.

Lilli marschierte zum Stall zurück. Als sie gerade hineingehen wollte, trat ihr plötzlich Egobert in den Weg. Er führte Storm, dem weißer Schaum vor dem Maul stand, noch immer am Halfter. Egoberts Miene war finster. »Wir beide sollten uns kurz unterhalten«, sagte er leise.

Lillis Herz begann zu rasen. »Worüber denn?«

»Weißt du, ich finde deinen kleinen Trick mit dem Hengst alles andere als lustig. Und ich kann gar nicht darüber lachen, wenn du jemandem erzählst, was der Hengst zu nörgeln hat.« Egobert stierte auf Lilli hinab und fügte zischelnd hinzu: »Wenn du schlau bist, lässt du dich auf dem Hof nie wieder blicken.«

Lillis Augen weiteten sich.

»Hast du verstanden?«, fragte Egobert und trat noch näher. Lilli entfuhr ein fiependes, ängstliches Geräusch.

Da drängte Storm sich nach vorn. Mit einem Schritt stand er zwischen Lilli und Egobert. »Lass das Mädchen in Ruhe!«, grollte er und starrte seinen Trainer böse an. Lilli konnte kaum fassen, was Storm da tat. Sie hatte gedacht, der Hengst könne sie nicht leiden!

Bevor Lilli sich aber darüber freuen konnte, hob Egobert seine Reitgerte und schlug Storm mit aller Kraft gegen den Hals. Lilli zuckte zusammen. Gleichzeitig scheute Storm und stieg laut wiehernd auf die Hinterläufe. »Ich hasse dich! Mensch!« Egobert schlug noch einmal zu, griff nach Storms Halfter und zerrte so heftig daran, dass Storm vor Schmerz wimmerte. Besiegt ließ der Hengst den schönen Kopf sinken.

Sobald Egobert Storm unter Kontrolle hatte, fauchte er: »Wenn du das irgendjemandem erzählst, Mädchen, bekommst du es mit mir zu tun!« Er betonte jedes einzelne Wort, und Lilli spürte nur allzu deutlich, wie ernst es ihm war. »Lass dich nie wieder hier blicken!«, setzte er nach.

Lilli taumelte rückwärts, drehte sich um und begann zu rennen, als sei der Teufel hinter ihr her.

## Training im Morgengrauen

Während der nächsten drei Tage war Lilli sehr still. Sie sprach kaum mit jemandem, und in der Schule war sie unaufmerksam und in sich gekehrt. Immer wieder tauchte Egoberts Gesicht vor ihrem inneren Auge auf, und jedes Mal, wenn das geschah, schnürte ihr die Angst den Brustkorb zu.

Lilli wusste, dass Jesahja sich Sorgen machte. Und sie wusste auch, dass Wolke nicht verstand, warum sie plötzlich nicht mehr zum Reiterhof kommen wollte. Aber Egoberts drohender Blick hatte sich tief in Lillis Gedächtnis eingebrannt.

Deshalb schwieg sie und wollte in den Pausen allein sein. Sie stellte sich in Wolkes abgelegene Ecke und schaute dem lauten Chaos auf dem Schulhof grübelnd zu. Nachdem Lilli mehrere Male gesagt hatte, sie wolle allein sein, verbrachte Wolke die Pausenzeit nun mit ihrer Tischnachbarin Sonay, mit der sie sich vorsichtig angefreundet hatte.

Gloria und Viktoria hänselten Wolke inzwischen nicht mehr, und darüber hätte Lilli sich freuen können. Aber sie traute dem Frieden nicht. Denn als Sonay Wolke am Tag zuvor gefragt hatte, warum sie ihren bronzefarbenen Pferdeanhänger nicht mehr trug, waren Gloria und Viktoria in hämisches Gelächter ausgebrochen. Sie schienen sich darüber zu freuen, dass Wolke den Anhänger anscheinend verloren hatte. Lilli war sich sicher, dass die beiden nur auf die richtige Gelegenheit warteten, um Wolke eins auszuwischen.

Während Lilli nun in der Ecke stand und in Gedanken versunken den Blick schweifen ließ, bemerkte sie, dass Trixi Korks sie wieder beobachtete. Das große blonde Mädchen mit den Sommersprossen hörte über seinen MP3-Player

Musik und spähte zu Lilli herüber. Lilli drehte sich um und wandte Trixi den Rücken zu.

Nach Schulschluss wartete Jesahja wie immer vor dem Tor auf Lilli, um mit ihr nach Hause zu gehen. In den vergangenen zwei Tagen hatte Lilli während des Heimwegs allerdings kaum etwas gesagt, und am liebsten hätte sie auch heute wieder geschwiegen. Aber Jesahja schien andere Pläne zu haben. Nach fünf Minuten stummen Marschierens sagte er: »Ich hab dich zwei Tage lang rumbrüten lassen, aber jetzt reicht es!« Er blieb stehen und brachte Lilli dazu, ihn anzusehen.

Lilli hob abwehrend die Schultern.

»Sag mir, was los ist!« Jesahja blickte sie bittend an. »Du weißt doch, dass es dir danach besser geht.«

Lilli schnaufte und starrte zu Boden. Er hatte recht. Es war ihnen bisher immer besser gegangen, wenn sie sich einander anvertraut hatten. »Okay«, sagte sie und spürte, wie die Angst in ihrem Inneren nachließ. »Komm!« Sie zog Jesahja am Ärmel und rannte mit ihm zum Gebüsch im Garten. Hier hatten sie schon unzählige geheime Besprechungen abgehalten, und hier schien es leichter, ehrlich zueinander zu sein.

Sie ließen sich im Schneidersitz auf dem Erdboden nieder. Jesahja schaute Lilli erwartungsvoll an. »Hat es was mit den Pferden zu tun?«, fragte er. »Du bist so komisch, seit wir das letzte Mal auf dem Jansenhof waren.«

»Ja. Als ich vor drei Tagen allein zum Stall zurückgegangen bin …«, begann sie, und es fiel ihr schwer, die richtigen Worte zu finden, »da hat Egobert mich … angesprochen.«

Jesahjas Miene verdunkelte sich. »Was hat er gewollt?«

Nun sprudelte alles aus Lilli heraus – wie Egobert Storm geschlagen hatte, wie er ihr gedroht hatte und wie Storm zu ihrem Beschützer geworden war.

Jesahja hörte ihr aufmerksam zu und schüttelte immer wieder den Kopf. »Was hat er zu verbergen?«, murmelte er.

Diese Frage hatte Lilli sich nun schon drei Tage lang gestellt. Wichtiger als die Antwort erschien ihr in diesem Moment allerdings, dass ihre Angst plötzlich fort war und sie wieder richtig atmen konnte.

Jesahja kratzte sich am Hinterkopf. »Es muss irgendwas mit seinem Training zu tun haben. Warum trainiert Egobert Storm zu so merkwürdigen Uhrzeiten? Bestimmt will er nicht, dass die Jansens mitkriegen, was er da genau macht.«

Lilli sah Jesahja scharf an. Sie ahnte, dass er dieser Sache auf den Grund gehen wollte. Er konnte keinem Rätsel widerstehen. Bei diesem Gedanken kam ihre Angst unvermittelt zurück. »Ich darf mich da nie wieder blicken lassen!«, stieß sie panisch hervor. »Egobert hat gesagt –«

»Willst du Storm denn nicht helfen?«, unterbrach Jesahja sie. »Du hast doch gehört, wie schlecht es ihm geht! Und was ist mit Merlin? Du würdest ihn nie wiedersehen ...«

Lilli ließ den Kopf sinken. »Natürlich will ich Merlin wiedersehen ... und Storm helfen!«

»Dann lass uns Egobert beim Training beobachten. Vielleicht finden wir heraus, was er zu verheimlichen hat.«

Lilli presste die Augenlider zusammen. »Er darf uns auf keinen Fall sehen ...«

»Ich sorge dafür, dass wir nicht entdeckt werden«, versprach Jesahja, und Lilli wusste, dass sie sich auf sein Wort verlassen konnte.

»Welch überaus apartes Beinkleid!«, flötete Frau von Schmidt, als Jesahja und Lilli am folgenden Morgen noch vor Sonnenaufgang aus Lillis Zimmer huschten. Lilli blickte widerstrebend an sich hinunter. An ihrer dunklen Hose und ihrem dunklen Pullover hatte Jesahja unzählige grüne Blätter angebracht, genau wie an seinen eigenen Sachen. Er trug zudem eine Baseballkappe, an die er ebenfalls haufenweise Blätter angeklebt hatte. Zur Krönung waren ihre Gesichter mit dunkler Farbe bemalt.

»Derart kultiviert sind Sie mir noch nie erschienen, Madame von Susewind«, schwärmte die Katze. »Ich könnte wetten, Sie haben etwas ungeheuer Stilvolles vor.«

»Was soll das Raschelzeugs?« Bonsai tippelte die Treppe herauf und schnüffelte an Lilli. Sein kleines Gesicht hellte sich auf. »Oh! Waldsachen! Darf ich die markieren?«

Lilli lachte leise in sich hinein, und einige der Blätter wuchsen um ein paar Zentimeter. »Nein, darfst du nicht!«, flüsterte sie. »Wir hoffen, dass wir durch die Blätter in der Dämmerung nicht auffallen.« Sie schaute Jesahja skeptisch an.

»Wird schon klappen«, flüsterte er und schlich auf Zehenspitzen die Treppe hinunter. Lilli folgte ihm, und die Tiere wiederum folgten ihr.

»Dies verspricht wieder einmal eine äußerst interessante Unternehmung zu werden ...«, murmelte Frau von Schmidt vor sich hin. »Anhand der Garderobe ist zu vermuten, dass die Ereignisse geradezu himmlisch geschmackvoll –«

Lilli blieb mitten auf der Treppe stehen. Bonsai rempelte prompt gegen sie. »Ihr beide bleibt hier!«, sagte sie mit gedämpfter Stimme, doch in strengem Tonfall.

Die Katze stellte ihre Nackenhaare auf. »Wie bitte?!«

Bonsai wedelte vorsichtig mit dem Schwanz. »Du kannst mir doch auch Waldsachen anziehen ...«, wuffte er leise.

Aber Lilli blieb hart. »Nein. Die ganze Sache ist viel zu gefährlich. Wir dürfen kein Risiko eingehen!«

Und das war ihr letztes Wort.

Ihr BEIDE bleibt hier ...

Zwanzig Minuten später versteckten Lilli und Jesahja ihre Räder in einem Busch vor dem Haus der Jansens und stahlen sich um das Hauptgebäude herum zu den Ställen. Sie wollten zum Trainingsplatz, der neben den Koppeln am Waldrand lag. Lilli hatte ihren Aufzug eigentlich ziemlich albern gefunden, aber nun stellte sie fest, dass die Blätter und die dunkle Farbe in der Dämmerung eine perfekte Tarnung waren. Sie konnte Jesahja kaum sehen, obwohl er direkt neben ihr war! Und doch … was würde geschehen, wenn Egobert sie erwischte? Der Gedanke schnürte Lilli die Kehle zu.

Jesahja zog sie weiter und schlich mit ihr über einen Pfad, bis sie den Trainingsplatz schließlich vor sich sahen. Durch ein paar große Lampen war er hell erleuchtet, aber Egobert und Storm schienen noch nicht hier zu sein.

»Wir müssen zu der Hecke da drüben«, flüsterte Jesahja. »Von da aus können wir alles gut überblicken.«

Lilli nahm all ihren Mut zusammen und folgte Jesahja tief geduckt zu der Hecke. Dabei sah sie sich immer wieder ängstlich um, und als sie die Hecke erreichten, krabbelte sie als Erste hinein und machte sich so klein, wie sie nur konnte. Jesahja folgte ihr. Dann warteten sie.

Keine fünf Minuten später ritt Egobert auf Storm auf den Platz. Lilli sog ruckartig die Luft ein und verfolgte mit hämmerndem Herzen, was geschah.

Storm wehrte sich. Er stampfte mit den Hufen auf, bockte und versuchte, seinen Reiter abzuwerfen. Da holte Egobert mit der Reitgerte aus. Lilli schloss voll Grauen die Augen. Aber allein das Geräusch der Gerte, die auf Storms Flanke niederpeitschte, ließ sie zusammenfahren. Neben ihr zuckte auch Jesahja zusammen.

Lilli mochte die Augen gar nicht wieder öffnen. Nach einer Minute stupste Jesahja sie jedoch an, und Lilli sah gezwungenermaßen wieder auf den Platz. Überrascht stellte sie fest, dass Egobert abgestiegen war und Storm festgebunden hatte. Nun kramte der Trainer in seiner Hosentasche herum. »Was macht er da?«, flüsterte Lilli, doch Jesahja antwortete nicht. Sein Gesichtsausdruck wirkte hochkonzentriert – und beunruhigt.

Aus seiner Tasche zog Egobert eine kleine Tube hervor, die an Zahnpasta erinnerte. Dann drückte er eine weißliche Paste aus der Tube und bückte sich, um Storms Vorderläufe damit einzureiben.

Lilli warf Jesahja einen verwirrten Blick zu. Jesahja hob ratlos die Achseln und schien ebenso wenig wie sie zu verstehen, was der Trainer da machte.

Nachdem Egobert Storms Beine eingerieben hatte, versuchte er, sich wieder in den Sattel zu schwingen. Im gleichen Augenblick schrie Storm jedoch auf und stieg auf die Hinterläufe. »Weg, Mensch!«, wieherte er, und Egobert wurde zu Boden gestoßen. Er rappelte sich allerdings schnell wieder auf, und kaum, dass er auf den Beinen stand, holte er wütend mit der Gerte aus. Lilli schloss abermals krampfhaft die Augen und wollte sich die Ohren zuhalten. Doch ihre Hände waren nicht schnell genug. Sie hörte ein weiteres peitschendes Geräusch und einen ächzenden Schmerzensschrei. Lilli hielt es kaum noch aus. »Wir müssen was unternehmen!«, flüsterte sie. »Wir können doch nicht nur hier rumsitzen!«

Jesahja legte die Hand auf ihren Arm. »Wir können im Moment nichts machen. Wir können nicht einfach zu Egobert laufen und sagen, er soll Storm nicht mehr schlagen! Er würde uns auslachen. Oder Schlimmeres tun …«

Lilli zitterte. Es stimmte, was Jesahja sagte, aber es war schrecklich für sie, miterleben zu müssen, wie ein Tier derartig gequält wurde. Als sie erneut auf den Trainingsplatz blickte, erkannte sie, dass Egobert mittlerweile wieder auf Storms Rücken saß und ihn zu den Hindernissen lenkte. Storms Körperhaltung verriet, dass er sich nun nicht mehr gegen seinen Reiter auflehnen würde. Die Schläge hatten ihre Wirkung nicht verfehlt.

Das erste Hindernis kam heran, und Storm sprang. Obwohl Lilli tief aufgewühlt war und dem Ganzen am liebsten auf der Stelle ein Ende bereitet hätte, entging ihr nicht, mit welcher Eleganz Storm über die Hürde sprang. Leicht und anmutig flog er über die Stangen, und seine Schönheit brachte Lilli unwillkürlich dazu, ihm fasziniert zuzuschauen. Er steuerte auf das nächste Hindernis zu, und über dieses sprang er mit ebenso viel Grazie wie über das vorherige. Dann hielt er auf eine besonders hohe Hürde zu. »Ay!«, rief Egobert und bohrte seine Sporen tief in die Flanken des Hengstes, um ihn anzutreiben. Da scheute Storm plötzlich und versuchte auszubrechen. Egobert benutzte jedoch augenblicklich seine Reitgerte und lenkte den Hengst wieder vor das Hindernis. Storm hatte nun aber seinen Schwung verloren und musste beinahe aus dem Stand über das hohe Hindernis springen. Dabei riss er die oberen Stangen ab, die laut knallend zu Boden fielen. Lilli zuckte zusammen – aber nicht wegen des Lärms, den die herabkrachenden Stangen im Morgengrauen machten. Weitaus erschreckender war der Schrei, den Storm ausstieß, als seine Beine gegen die Stangen schlugen. Der Schmerz, der darin lag, ging Lilli durch Mark und Bein.

Egobert erlaubte Storm keine Verschnaufpause. Unerbittlich trieb er ihn weiter. Dabei nahm er die Kurve, die zum nächsten Hindernis führte, so knapp, dass Storm beim Springen ein weiteres Mal die oberste Stange herunterriss. Und kaum kamen die Vorderbeine des Hengstes mit der Stange in Berührung, stöhnte er abermals aus tiefster Brust. »Ahhh!« Egobert schlug ihn sofort mit der Gerte.

»Da stimmt was nicht!«, stieß Lilli entsetzt

hervor. »Warum tut es ihm so weh, wenn er die Stangen herunterreißt?«

Jesahja wandte sich erschüttert ab. »Ich habe keine Ahnung«, brachte er mühsam hervor.

Lillis Hand krallte sich in Jesahjas Bein. »Wir müssen ihm helfen!« Sie drückte so fest zu, dass Jesahja das Gesicht verzog. »Versprich mir, dass wir Storm irgendwie helfen werden!«

Er nickte. »Ich verspreche es«, flüsterte er mit aschfahlem Gesicht.

## Das Richtige tun

Als sie wenig später nach Hause kamen, ging gerade die Sonne auf. Doch Lilli schenkte dem rötlich-blauen Himmel keinerlei Aufmerksamkeit. Sie war zutiefst schockiert von dem, was sie hatte miterleben müssen – ebenso wie Jesahja, der während der ganzen Rückfahrt kein Wort gesagt hatte.

Außerdem war Lilli hundemüde. Sie marschierte ins Bad, wusch sich die Farbe aus dem Gesicht und krabbelte dann ins Bett. Zum Glück war Samstag, und sie mussten nicht in die Schule. Lilli fiel auf der Stelle in einen unruhigen Schlaf …

»Lilli!«

Sie war schlagartig hellwach. »Ja? Was?« Hastig richtete sie sich auf und rieb sich die Augen.

Jesahja kniete neben ihrem Bett. »Ich hab mir den Laptop von deiner Oma geliehen und im Internet recherchiert.«

Das hieß, er hatte etwas herausbekommen! »Und?«

»Ich glaube, ich weiß, warum Egobert Storms Beine mit dieser Salbe eingerieben hat.« Jesahja sprach so ernst, dass Lilli mulmig wurde. »Es gibt spezielle Salben, die die Haut von Pferden empfindlicher machen.« Er schaute sie an, als hätte er ihr gerade die Lösung des Rätsels verraten.

Lilli zog die Nase kraus, denn sie wusste nicht, was Jesahja damit sagen wollte. »Empfindlicher?«

»Ja.« Er setzte sich im Schneidersitz auf den Teppich vor Lillis Bett, neben den dösenden Bonsai. »Ihre Haut wird durch die Salbe so empfindlich, dass sie furchtbare Schmerzen haben, wenn sie irgendwo anstoßen ...«

»Aber es ergibt doch keinen Sinn, ein Pferd mit so einer Salbe einzureiben, wenn man mit ihm über Hindernisse springen will!«, wandte

Lilli verwirrt ein. »Beim Springen passiert es doch viel schneller als sonst, dass es sich stößt …«

Jesahja verzog den Mund. »Ja. Jedes Mal, wenn das Pferd gegen die Stangen stößt oder sie herunterreißt, tut ihm das schrecklich weh.« Seine Stimme wankte ein wenig.

Lilli hatte immer noch nicht begriffen, warum jemand einem Pferd absichtlich etwas so Abscheuliches antun sollte.

Jesahja blickte sie traurig an und erklärte: »Das wird gemacht, um das Pferd zu Höchstleistungen anzutreiben. Sobald es gemerkt hat, wie weh es ihm tut, die Stangen zu berühren, strengt es sich umso mehr an, sie nicht herunterzureißen. Es springt dann so hoch es nur kann.«

Langsam dämmerte Lilli, was Jesahja zu sagen versuchte. Vor Entsetzen fiel ihr die Kinnlade herunter. »Das ist Egoberts geheime Trainingsmethode?«, schrillte sie, und Bonsai zuckte erschrocken zusammen. »Alarm?«, bellte er, aber Lilli ignorierte ihn. Sie konnte nicht fassen, was sie da hörte. »Egobert reibt Storms Beine mit dieser Salbe ein, damit Storm aus Angst vor Schmerzen höher springt? Das ist …« Aber ihr fiel kein Ausdruck ein, der das Grauen beschreiben konnte, das sie bei dieser Vorstellung empfand.

Jesahja spuckte ein Wort hervor: »Folter.« Er schnaubte verächtlich. »Egobert tut Storm weh, um ihn zum Champion zu machen. Und dabei ist ihm offenbar jedes Mittel recht. Er reibt Storm ja nicht nur mit diesem Zeug ein, sondern schlägt ihn auch mit der Gerte, reißt ihn am Halfter und rammt ihm die Sporen in den Bauch!«

Lilli starrte erschüttert ins Leere. »Und er trainiert so früh oder so spät, damit die Jansens nicht mitbekommen, was er Storm antut?«

»Ja, ich bin mir ziemlich sicher, dass das der Grund ist – und dass die Jansens keine Ahnung haben, was er da treibt.«

»Dann müssen wir es ihnen sagen!«

Forschend sah Jesahja sie an. »Denke ich auch, aber …«

Da fiel es Lilli selbst wieder ein. Egobert würde sich an ihnen rächen, wenn sie ihn verrieten!

Lillis Finger gruben sich in die Bettdecke, und in ihrem Kopf brannte es, als ob sie Fieber hätte. Sie dachte an Storms Schreie, als Egobert ihn geschlagen hatte, und daran, wie der Hengst sich schützend zwischen sie und Egobert gestellt hatte …

»Wir sprechen mit Annabell und Slavika!«, platzte Lilli heraus. »Du hast mir versprochen, dass wir Storm helfen!«

Jesahja wiegte bedächtig den Kopf hin und her. »Das stimmt. Aber wir müssen vieles bedenken …«

»Egal! Wir dürfen Storm nicht im Stich lassen! Wir müssen das Richtige tun!«

Jesahja zögerte kurz. »Okay«, stimmte er dann zu. »Sprechen wir mit den Jansens.«

Wenig später waren sie schon wieder auf dem Weg zum Reiterhof. Lilli hatte ein flaues Gefühl im Magen. Aber nach ein paar tiefen Atemzügen ging es etwas besser, und sie wusste, dass sie das Ganze durchstehen konnte.

»Was macht ihr denn hier?«, rief Wolke verdutzt, als Lilli und Jesahja mit ihren Rädern vor dem Hauptgebäude hielten. Wolke hatte sich offenbar gerade auf den Weg zu den Ställen machen wollen.

»Wir müssen mit dir und deinen Müttern sprechen … also, mit Annabell und Slavika«, erklärte Lilli und ließ ihr Rad vor Aufregung zu Boden fallen.

»Was ist los?« Tom trat aus der Haustür. »Oh, hi Wundermädchen!«

Doch Lilli war jetzt nicht nach Scherzen zumute. »Es ist wichtig. Wir müssen …«

Da kam Annabell aus dem Haus. »Was ist denn so dringend?« Einen Schritt hinter ihr war Slavika, die ebenfalls mit fragendem Blick auf die Kinder zukam.

Lilli wandte sich hilfesuchend Jesahja zu, der gerade sein Rad an der Hauswand abstellte. »Es geht um Egobert«, sagte er, und Lilli bewunderte, wie beherrscht er klang. »Wir haben ihn heute Morgen beim Training beobachtet.«

»Wieso das denn?« Slavika verschränkte die Arme. »Egobert braucht viel Ruhe, um vernünftig mit Storm zu arbeiten. Warum schleicht ihr beim Trainingsplatz herum?«

Annabell legte ihr beschwichtigend die Hand auf den Arm. »Lass sie doch erst mal erzählen.« Slavika zögerte, dann nickte sie.

Jesahja fuhr fort. »Lilli hat vor ein paar Tagen gehört, wie Storm gewiehert hat, dass er Egobert hasst.«

»Sie könnte sich verhört haben!«, wandte Wolke prompt ein. Es schien, als habe sie darüber nachgedacht und wünschte sich nichts sehnlicher, als dass Lilli sich irrte.

»Was?« Annabell wurde hellhörig. »Storm hasst Egobert?«

»Jetzt mal ganz ruhig.« Slavika hob die Hände. »Das klingt ziemlich übertrieben. Vielleicht hat Lilli Storm missverstanden. Egobert ist streng mit ihm – da wäre es kein Wunder, wenn sie nicht die besten Freunde sind. Wahrscheinlich war der Hengst mal wieder dickköpfig und –«

»Storm hasst Egobert! Und er hat einen guten Grund dafür!«, brach es aus Lilli heraus.

Alle Augen richteten sich wieder auf sie.

Lilli fühlte sich plötzlich sehr klein. Mit wackeliger Stimme sagte sie: »Wir haben heute Morgen gesehen, wie Egobert Storm brutal mit der Gerte geschlagen hat und –«

»Er schlägt ihn?«, rief Annabell erschrocken.

Slavika nahm tröstend die Hand ihrer Frau. Sie wirkte jedoch skeptisch. »Seid ihr sicher?«

»Es ist noch schlimmer als das«, sagte Jesahja.

Annabell rang nach Luft.

Jetzt mal GANZ ruhig

»Wir haben gesehen, wie Egobert Storms Beine vor dem Training mit einer Salbe eingerieben hat ...«

»Was?«, mischte Tom sich ein. »Was denn für eine Salbe?«

»Wir wissen nicht genau, wie sie heißt. Aber Storm hat nach dem Einreiben vor Schmerzen geschrien – immer dann, wenn er gegen die Stangen gestoßen ist.«

Slavikas Gesicht verfinsterte sich. »Ihr sprecht von einer durchblutungsfördernden Salbe, die den Pferden beim Anstoßen Schmerzen verursacht. Das ist ein ernster Vorwurf!«

»Das wissen wir«, sagte Jesahja. »Aber wir sind sicher, dass Egobert Storm quält. Außerdem hat er Lilli gedroht –«

»Egobert hat Lilli gedroht?«, wiederholte Slavika. »Das wird ja immer abenteuerlicher!« Sie schüttelte den Kopf und dachte nach. »Es ist nicht fair, solch ein Gespräch hinter Egoberts Rücken zu führen. Wir sollten ihm die Möglichkeit geben, sich gegen diese Anschuldigungen zu verteidigen.«

Lilli blieb vor Schreck das Herz stehen.

Im nächsten Augenblick zog Slavika ihr

Handy hervor, wählte eine Nummer und sagte: »Egobert? Kannst du sofort herkommen? Es ist wichtig. – Gut, dann bis gleich.« Sie steckte das Handy wieder weg. »Er wird gleich hier sein.«

Lilli warf Jesahja einen ängstlichen Blick zu, und Jesahja trat noch näher an ihre Seite.

Eine merkwürdige Stille breitete sich aus. Kurz darauf hörten sie, dass sich ein Auto näherte, und einen Moment später fuhr Egobert die Einfahrt hinauf. Er stellte den Wagen ab und stieg mit ausdruckslosem Gesicht aus. »Was ist hier los?«, fragte er, und seine Augen blieben an Lilli hängen. Sein Gesicht rötete sich.

»Die Kinder haben dich heute Morgen beim Training beobachtet«, erklärte Slavika. Egoberts Augen verengten sich.

»Sie glauben, ein paar Dinge gesehen zu haben«, fuhr Slavika fort und gab die Geschichte nun genauso wieder, wie Jesahja und Lilli sie erzählt hatten. Egobert hörte ihr aufmerksam zu. Kein Laut kam über seine Lippen, aber seine Gesichtsfarbe wurde mit jedem Augenblick dunkler.

Als Slavika endete, fragte sie Egobert: »Was sagst du?«

Alle schauten den Trainer an. Sein tiefrotes Gesicht ließ Lilli vermuten, dass er jeden Moment aus der Haut fahren würde, doch das tat er nicht. Stattdessen sagte er mit gepresster Stimme: »Ihr scheint den Kindern zu glauben.«

»Nun ...«, begann Annabell, aber Egobert schnitt ihr gleich wieder das Wort ab: »Wenn das so ist, kann ich hier nicht länger arbeiten.«

»Wie bitte?«, riefen Slavika und Tom gleichzeitig.

»Ich werde Storm nicht mehr trainieren.«

Annabell schüttelte ungläubig den Kopf. »Aber ... du kannst doch nicht einfach so aufhören ...«

»Natürlich kann ich das«, stieß Egobert hervor. »Ich will nicht für jemanden arbeiten, der an mir zweifelt.«

»Wir wollten ja nur wissen, ob –«

Egobert fuhr dazwischen: »Ihr scheint kein Vertrauen in meine Fähigkeiten als Trainer zu haben.« Seine Stimme war kaum mehr als ein Zischen. »Offenbar wisst ihr nicht zu schätzen, was für Fortschritte ich mit Storm erzielt habe.« Er zeigte auf sich selbst und lachte abwesend. »Ich hätte ihn zu einem großen Champion machen können.« Er lachte abermals. »Wirklich bedauerlich«, nuschelte er, als spräche er mit sich selbst. »Mit einem Hengst wie Storm wäre ich noch berühmter geworden und mein Name wäre in aller Munde gewesen.« Er schnaubte. »Aber unter diesen Bedingungen kann ich hier nicht länger arbeiten. Ich kündige!« Mit diesen Worten drehte er sich um, stapfte zu seinem Wagen und brauste mit quietschenden Reifen davon.

Lilli, Jesahja und die Jansens starrten ihm sprachlos nach. »Das ...«, war alles, was Annabell hervorbrachte.

»Jetzt haben wir die Bescherung«, stieß Slavika ungehalten hervor. »Verdammt!« Sie knirschte mit den Zähnen, wandte sich um und verschwand im Haus. Annabell folgte ihr mit verdattertem Gesicht. Lilli, Jesahja, Tom und Wolke standen da und sagten kein Wort. Lilli wurde klar, dass Jesahja und sie ganz allein an der Situation schuld waren.

Schließlich sagte Tom düster: »Wir sind geliefert. Ohne Egobert wird Storm an keinem Turnier teilnehmen.« Er schüttelte den Kopf. »Niemand außer Egobert kann ihn reiten.«

Wolke starrte ins Leere. Sie bebte am ganzen Körper. »*Du* könntest ihn reiten, Tom!« Ihre Augen leuchteten plötzlich auf. »Du bist der beste Reiter, den ich kenne!«

»Ach, das ist doch Quatsch!«, wischte Tom Wolkes Freude mit einem Satz fort. »Ich könnte Storm niemals reiten. Er ist viel zu wild. Außerdem kann er mich nicht leiden.« Er lachte bitter. »Wolke, wir sind am Ende! Ohne Egobert keine Tuniersiege. Und ohne Siege kein Geld für den Hof. Es ist aus!« Mit einer heftigen Bewegung drehte er sich um und stürmte davon.

Wolke traten die Tränen in die Augen. »Ich ... will jetzt allein sein«, flüsterte sie und lief ins Haus.

Lilli und Jesahja standen da wie begossene Pudel. »Jesahja ...«, brachte Lilli mühsam hervor. »Wir haben die Jansens in riesige Schwierigkeiten gebracht! Warum haben wir nicht vorher darüber nachgedacht, was passieren könnte, wenn Egobert Storm nicht mehr trainiert?«

»Ich habe darüber nachgedacht ...«, murmelte Jesahja. »Und ich fand es wichtiger, dass Storm nicht länger leiden muss. Außerdem habe ich dir versprochen, dass wir Storm helfen. Und das haben wir. Egobert wird ihn nicht mehr quälen.«

Diesen Gedanken hatte Lilli sich noch gar nicht erlaubt. Sie hatten Storm gerettet! Doch es fiel ihr schwer, sich darüber zu freuen. »Aber zu welchem Preis?«, fragte sie. »Nun muss vielleicht der ganze Hof verkauft werden!« Noch während sie dies aussprach, wurde Lilli klar, dass sie es ebenso wenig hätte akzeptieren können, Storm weiterhin leiden zu lassen, um den Hof zu retten. Es gab bei dieser Geschichte kein Happy End.

»Es ist verdammt schwer, zu wissen, was das Richtige ist«, sagte Lilli leise und spürte, wie ihr Tränen in die Augen traten.

# Ein kleines Wunder für die Jansens

Mitten in der Nacht wachte Lilli auf. Sie hatte im Traum eine Idee gehabt – eine Idee, wie sie den Jansens ein klein wenig helfen konnte! Mit einem Satz war sie aus dem Bett und stolperte über Bonsai, der wie immer auf dem Teppich vor dem Bett schlief. Lilli verlor das Gleichgewicht und landete mit dem Hinterteil mitten auf dem kleinen Hund.

»Autsch!«, quiekte Bonsai. »Quetschalarm!«

Lilli rappelte sich schnell wieder auf. »Oh, sorry!«

Bonsai schüttelte sich, schnupfte einmal und

wedelte gleich darauf schon wieder mit dem Schwanz. »Gehst du deine Lieblingsstelle im Zimmer nebenan markieren?«, fragte er.

»Nein, ich muss nicht aufs Klo. Ich fahre zum Reiterhof.«

»Mitten im Dunkeln?«, wuffte Bonsai und streckte sich. »Da musst du aufpassen, dass du nicht nochmal jemanden quetschst.« Er kratzte sich mit dem Hinterlauf am Ohr. »Aber das Leuchtedings ist ja an.«

»Ja, heute Nacht ist zum Glück Vollmond«, murmelte Lilli und blickte prüfend aus dem Fenster. Das Mondlicht kam ihr bei dem, was sie vorhatte, wie gerufen.

Bonsai setzte sich vor Lilli und schaute sie freundlich hechelnd an. Lilli wusste, was dieser Blick zu bedeuten hatte. »Okay«, sagte sie lächelnd. »Wenn du möchtest, darfst du mitkommen.«

»Gebongt!«, bellte der Hund und drehte sich vor Begeisterung um die eigene Achse.

Kurz darauf schlichen Lilli und Bonsai die Treppe hinunter. Auf der letzten Stufe am Treppenabsatz thronte Frau von Schmidt und blickte Lilli mit großen grünen Augen entgegen. »Nanu, so spät des Nachts noch unterwegs, Madame?« Die Katze erhob sich und strich mit einer geschmeidigen Bewegung an Lillis Bein entlang. »Gehe ich recht in der Annahme, dass ich Sie auch diesmal nicht bei Ihrer geheimen Mission begleiten darf?« Ihr Ton verriet, dass sie Lilli die Zurückweisung der vorherigen Nacht noch nicht verziehen hatte.

Lilli hatte mit der Frage der Katze gerechnet. Sie kniete sich neben sie, kraulte ihr den Nacken und sagte: »Weit gefehlt, Madame von Schmidt! Ihre Anwesenheit ist beim heutigen Unterfangen in höchstem Maße erforderlich. Ich würde sogar sagen, dass die Sache ohne Sie von vornherein zum Scheitern verurteilt wäre.« Wenn Lilli mit der Katze sprach, fiel es ihr leicht, die richtigen Worte zu finden. Leider war das anders, wenn sie mit Menschen redete. »Deshalb möchte ich Sie in aller Form um Ihre Begleitung bitten, Gnädigste!«

Die Augen der Katze leuchteten auf. »Nun, wenn Ihnen mein Mitwirken tatsächlich derart bedeutsam erscheint, werde ich Ihrem Wunsche freundlicherweise nachkommen – obwohl ich eigentlich gerade andere Pläne hatte ...«

Lilli schmunzelte. »Das ist ausgesprochen großzügig von Ihnen«, sagte sie höflich und machte sich gemeinsam mit Bonsai und Frau von Schmidt im Mondlicht auf den Weg zum Reiterhof.

Als sie dort ankamen, versteckte Lilli ihr Rad hinter einem Busch und ließ die Tiere leise aus dem Rucksack springen. Alle Bewohner des Haupthauses und der Ställe schienen zu schlafen. Lilli war froh darüber. Denn das, was sie vorhatte, konnte sie am besten tun, wenn sie keine Angst haben musste, von jemandem beobachtet zu werden.

Geduckt eilte sie zu den Ställen. Bonsai und Frau von Schmidt – denen Lilli zuvor eingeschärft hatte, unter keinen Umständen irgendeinen Mucks von sich zu geben – trippelten wie kleine Schatten hinter ihr her.

»Oh-oh-oh! Die Lilli!«, wieherte Merlin erfreut, sobald Lilli den Stall betreten hatte. Auch Darling wachte auf und fiel gleich in sein Wiehern ein. »Hallo Pferdemädchen!«

»Schhh!« Lilli legte den Finger an die Lippen. »Bitte seid ganz still. Die Jansens sollen nicht aufwachen.«

»Wer?«, brummte Wayomi, die nur ein Auge geöffnet hatte.

»Eure Menschen. Sie dürfen nicht merken, dass ich hier bin. Ich möchte etwas Schönes für sie machen, aber sie sollen nicht wissen, dass ich es war.«

»Ah.« Wayomi schloss ihr Auge wieder und schien auf der Stelle einzudösen.

»Du hast wieder deine Fohlen mitgebracht!«, bemerkte Darling.

Lilli unterdrückte ein Lachen. »Das sind nicht meine Fohlen. Bonsai und Frau von Schmidt sind nur oft dabei, wenn ich irgendwohin gehe. Heute Nacht sind sie unentbehrlich.«

Die Katze reckte zufrieden den Hals, als sie das hörte, und Bonsais Schwanz wedelte so schnell hin und her, dass er wie ein kleiner Propeller aussah. »Sag den Riesenzebras, dass wir sogar mit dir in die Schule gehen!«

»Ähm, okay.« Lilli lächelte. »Die beiden kommen sogar mit mir in die Schule«, erklärte sie den Pferden, obgleich sie nicht wusste, ob diese begriffen, was eine Schule war.

Darling und Merlin starrten sie mit großen Augen an.

»Ich möchte mit dir ausreiten«, erklärte Lilli Merlin nun, und die Augen des Schimmels blitzten auf.

Bonsai hingegen war weniger begeistert. »Och neee!«, beschwerte er sich. »Bloß nicht wieder auf das Riesenzebra drauf!«

Gleichzeitig miaute Frau von Schmidt: »Welch vorzügliche Idee! Bei einem solch würdevollen Plan werde ich Sie natürlich gern unterstützen.«

»Danke, Madame«, flüsterte Lilli. »Und du, Bonsai, lauf bitte wieder hinter uns her.« Sie holte Sattel und Zaumzeug und stellte dabei fest, dass die Tasche von Merlins Sattel mittlerweile gesäubert worden war. Schuldbewusst verzog Lilli das Gesicht. Sie hatte bei den Jansens einiges gutzumachen. Zwar würde das, was sie in dieser Nacht tun wollte, den Hof nicht retten, aber wenigstens würde es allen eine große Freude bereiten. So hoffte sie zumindest.

Merlin ging vor Lilli in die Knie, damit sie ihn satteln und leichter aufsteigen konnte. Lilli ließ Frau von Schmidt in die rechte Satteltasche springen, kletterte dann selbst hinauf und verließ auf Merlin so leise wie nur möglich den Stall. Bonsai lief eifrig hinterdrein.

Der Schimmel schlug automatisch den Weg zum Wald ein, doch Lilli hielt ihn an. »Nein, wir reiten zur Koppel!«, raunte sie.

»Im Wald ist es doch viel spaßlustiger!«, schnaubte Merlin, gehorchte Lilli aber sofort und machte sich auf den Weg zu einer der ausgedörrten Koppeln.

»*Koppel* klingt königlich!«, kommentierte Frau von Schmidt.

Als sie sich dem geschlossenen Gatter näherten, flüsterte Lilli Merlin ins Ohr: »Willst du drüberspringen?«

»Ja-a-a!«, wieherte Merlin erfreut. Zum Glück waren sie mittlerweile so weit vom Haupthaus entfernt, dass sein Wiehern niemanden aufwecken konnte. Merlin verfiel in Galopp. »Uuund …«, rief er und sprang leichtfüßig über das Gatter. »Hu! Das war gar nicht schlecht, was? Das stimmt. Wirklich nicht schlecht!«

Frau von Schmidt war tief beeindruckt. »Diese Mission hat wahrlich Stil!«

»Ja! Das stimmt wirklich!«, fiel auch Lilli ein

und lachte. Durch den Sprung fühlte sie sich regelrecht berauscht, und sie stellte abermals fest, dass es nichts Schöneres gab, als auf Merlins Rücken zu sitzen. Lilli lachte noch einmal – laut und ganz tief aus dem Bauch heraus.

»Lilli, pass auf!«, bellte Bonsai, der gerade unter dem Gatter hindurchschlüpfte. »Du machst Kleckse auf die Wiese!«

Lilli blickte auf den Boden. Im Mondlicht sah sie, wie sich das ausgetrocknete, gelbliche Gras unter Merlins Hufen innerhalb von Sekunden in saftiges Grün verwandelte, gespickt mit schneeweißen und knallgelben Wiesenblumen. »Es funktioniert!«, sagte Lilli grinsend zu sich selbst. »Merlin, lauf!«

Der Schimmel ließ sich das nicht zweimal sagen und jagte los. Lilli schloss kurz die Augen und genoss den Moment. Es kam ihr vor, als sei noch nie ein Mensch glücklicher gewesen als sie. Sie lachte aus vollem Halse, kiekste, gluckste und quietschte.

»Welch staunenswerte Heiterkeit hat Sie ergriffen, Madame!«, wunderte sich die Katze, die es nicht gewohnt war, dass Lilli derartig herzhaft lachte. Bonsai schien es ebenso zu gehen. »Lilli!

Du bist voll fröhlich!«, kläffte er begeistert und tollte hinter Merlin über die Wiese, die sich wie durch Zauberhand veränderte: Aus dem harten Boden schossen Hunderte von neuen Grashalmen hervor und verwandelten die ausgetrocknete Koppel in eine frische, grüne Landschaft voller Leben.

»Machst du das, Lilli?« Merlin wurde langsamer und schnupperte an dem jungen Gras. »Das ist ja superherrlich! Mmm ...« Merlin war stehen geblieben und begann, Halme aus dem Boden zu rupfen. Lilli ließ ihn kosten, aber dann schnalzte sie schon wieder mit der Zunge. »Lass uns zur nächsten Koppel reiten!«, rief sie. »Diese hier ist fertig.« Es gab auf der ganzen Koppel keine einzige kahle Stelle mehr.

»Ja-a-a!«, wieherte der Schimmel und hielt auf das nächste Gatter zu. »Soll ich wieder springen?«

»Was meinst du, Schmidti?«, rief Lilli lachend. »Sollen wir nochmal fliegen?«

Die Katze, die es normalerweise gar nicht mochte, geduzt oder mit Spitznamen angesprochen zu werden, hatte diesmal keine Zeit, beleidigt zu sein. »Ich bitte darum.«

»Jaaa!«, rief Lilli, und schon im nächsten Augenblick sausten sie durch die Luft.

»Ju-hu-u!«, wieherte Merlin, und Lilli fiel lachend in sein Jubeln ein. Sie konnte gar nicht mehr aufhören, vor Glück zu lachen, und nach kürzester Zeit war auch diese Koppel voll von frischem Grün. Also ritten sie zur nächsten, und danach zur übernächsten. Sämtliche Koppeln des Reiterhofs verwandelte Lilli in dieser Nacht in ein lebendiges, grünes Meer aus Gras und Wiesenblumen.

Der Morgen graute schon, als Lilli erschöpft mit Merlin, Frau von Schmidt und Bonsai zum Stall zurückkam. Sie hielt kurz an, um einen abschließenden Blick auf ihr Werk zu werfen, und war vollauf zufrieden. Beinahe wünschte sie sich, sie wäre dabei, wenn die Jansens aufwachten und bemerkten, was geschehen war. Aber Lilli wollte gar nicht, dass sie ihr dankbar waren. Sie wollte nur, dass sie sich freuten. Und das hoffte sie aus ganzem Herzen.

Rasch sattelte sie den erschöpften Schimmel ab, rieb ihn trocken und verabschiedete sich von ihm. Merlin schnaubte selig und dankte Lilli für den »frohlustigen Ritt«.

Als Lilli, gefolgt von Bonsai und Frau von Schmidt, kurz darauf aus dem Stall trat und den Weg zu ihrem Rad einschlug, kam sie an Storms Stall vorbei. Der schwarze Hengst war wach. Er schaute mit stolz erhobenem Kopf aus seiner Box heraus und blickte Lilli direkt in die Augen.

Lillis Herz schlug schneller. Hatte sie noch Zeit, mit Storm zu sprechen? Die Sonne ging bereits auf, aber eine solche Gelegenheit bot sich womöglich nie wieder …

»Bitte geht schon mal zu meinem Rad und wartet da auf mich«, flüsterte sie dem Hund und der Katze zu. Die beiden schienen zwar wenig begeistert, aber sie trotteten ohne weiteres Murren davon.

Lilli holte tief Luft und näherte sich Storm. »Hallo«, flüsterte sie. »Wie geht es dir?«

Die Ohren des Hengstes zuckten aufmerksam.

»Ich möchte dir etwas sagen.« Lilli stand nun direkt vor ihm. »Dein Trainer, Egobert –«

Unvermittelt stampfte Storm mit dem Huf auf und schnaubte voller Zorn. »Er …« In seinen Augen glomm Hass auf. »… der Schlimmste von euch Menschen.«

Lilli schluckte. »Er wird nie wieder herkommen«, erklärte sie erstickt. »Er wird nie wieder auf dir reiten oder dich schlagen oder dich mit der Salbe einreiben.«

Storm starrte sie mit durchdringendem Blick an. »Er … kommt nicht mehr?«, schnaubte er. Zum Glück wieherte er nicht laut. »Ich muss nie wieder gegen ihn kämpfen? Nie wieder sein Beinfeuer ertragen?«

Lilli schüttelte den Kopf. »Nein, nie wieder.«

»Warum nicht?«

»Weil … wir dafür gesorgt haben«, antwortete Lilli. »Also … mein Freund Jesahja und ich.«

»Warum habt ihr dafür gesorgt?«

»Weil …« Lilli überlegte. »Weil es nicht richtig war, was Egobert mit dir gemacht hat. Und weil du mir geholfen hast, als er mir drohte.«

Storm schien sich daran zu erinnern. »Ja …« Nachdenklich legte er den Kopf ein wenig schief. »Er … der Schlimmste … er sah aus, als wollte er dich ebenso schlagen wie mich. Und das … ging nicht.«

»Das ging nicht?«

»Du darfst nicht geschlagen werden.« Storm

schüttelte seinen schönen Kopf. »Ich weiß nicht, warum, aber du musst beschützt werden.« Das schien den Hengst selbst zu erstaunen. »Obwohl du ein Mensch bist, bist du gut.«

Lilli lächelte zaghaft. Dann fragte sie: »Du hasst alle Menschen?«

»Menschen sind Feinde«, gab der Hengst sofort zurück.

Lilli lief es kalt über den Rücken. »Aber … außer Egobert haben dir die Menschen hier auf dem Hof doch noch nie etwas getan, oder?«

»Nein. Aber …« Aus Storms Brust drang ein tiefes Grollen. »Die Menschen, bei denen ich vorher lebte, waren grausam. Als ich noch klein war, haben sie mich gezwungen, über hohe Hindernisse zu springen. Und wenn ich nicht hoch genug sprang, haben sie mich mit dem Prügelstock bestraft.« In Storms Augen trat erneut kalte Wut. »Und mit Beinfeuer …«

Lilli war so bestürzt, dass sie kaum einen Ton hervorbringen konnte. »Das tut mir sehr leid«, krächzte sie. »Aber nicht alle Menschen sind so.«

Storm wackelte mit dem Kopf. »Du scheinst anders zu sein.«

Über Lillis Gesicht huschte ein zaghaftes Lächeln. Doch sie wurde schnell wieder ernst. »Die Jansens – deine Menschen – sind auch anders. Willst du ihnen nicht eine Chance geben und weniger feindselig sein?« Sie blickte Storm bittend an. »Sie würden sich so darüber freuen! Vor allem Tom, der Junge. Er denkt, du könntest ihn nicht leiden.«

Storms Schweif schwang nun langsamer hin und her, und es sah aus, als denke der Hengst nach.

Da hörte Lilli die Tür des Wohnhauses klappern und gleich darauf Schritte. Jemand kam her! »Ich muss jetzt gehen«, raunte Lilli dem Hengst zu, stolperte um die Ecke und presste sich an die Hauswand. Nur um Haaresbreite entging sie demjenigen, der nun auf Storms Stall zukam.

»Hallo mein Schöner«, hörte Lilli Tom sagen. »Machst du es mir heute wieder so schwer, deinen Stall auszumisten?«

Lilli hörte ein Geräusch, das klang, als würde Tom Storm vorsichtig den Hals tätscheln. Dann hörte sie, wie Tom leise die Box öffnete und eintrat.

Gleich darauf rief er überrascht: »Hey, du flippst ja diesmal gar nicht aus!«

Lilli lächelte und machte sich geräuschlos davon.

# Glückliche Pferde

Als Lilli nach Hause kam, saß ihre Familie vollzählig am Frühstückstisch – ihre Eltern, Oma Susewind und Jesahja.

Ihre Mutter schien über irgendetwas verärgert zu sein. »Jesahja hat uns alles erzählt«, sagte sie ohne Begrüßung.

Jesahja schaute Lilli entschuldigend an. »Egobert plant vielleicht, sich an uns zu rächen. Das ist ernst.«

»Ich finde, ihr solltet mal darüber nachdenken, uns in eure Abenteuer einzuweihen, bevor es brenzlig wird«, bemerkte Lillis Vater in vorwurfsvollem Ton. »Was läuft da schon wieder für eine gefährliche Sache, Lilli?«

»Und wo kommst du um diese Uhrzeit überhaupt her?«, fügte Lillis Mutter mit hochgezogener Augenbraue hinzu.

»Ich war auf dem Reiterhof.«

»Mitten in der Nacht?«, fragte Lillis Oma.

»Ja, ich hatte eine Idee«, antwortete Lilli mit belegter Stimme und erzählte ihrer Familie nun, was in der Nacht geschehen war und wie sie sämtliche Koppeln grün gelacht hatte. Sie endete mit dem Satz: »Ich habe Bonsai und Schmidti mitgenommen, weil die beiden mich immer zum Lachen bringen.« Der Hund und die Katze lagen inzwischen aneinandergekuschelt unter dem Tisch und schliefen tief und fest.

»Du hast alle Koppeln zum Blühen gebracht?«, fragte Lillis Mutter.

»Dass deine Kräfte so stark sind, hätte ich nicht gedacht«, fiel Herr Susewind ein.

Aber seiner Frau ging es um etwas anderes. »Die blühenden Wiesen werden bestimmt auffallen!«, stieß sie hervor. Lillis Mutter war sehr daran gelegen, dass nicht mehr Leute als unbedingt nötig von der Gabe ihrer Tochter erfuhren. Denn sie fürchtete, dass sich das negativ auf ihre Karriere beim Fernsehen auswirken könnte – Frau Susewind war Nachrichtensprecherin und hoffte darauf, bald eine politische Talkshow moderieren zu dürfen. Die Mutter eines Kindes mit »übersinnlichen Kräften« zu sein passte ihrer Meinung nach nicht ins Bild einer ernsthaften, achtbaren Fernsehfrau. Deshalb war es ihr wichtig, dass niemand auch noch von Lillis Wirkung auf Pflanzen erfuhr. Denn davon wussten bisher nur Jesahja, die Susewinds und Lillis und Jesahjas Freundin Feline, die an der Nordsee lebte.

Lilli scharrte nun schuldbewusst mit dem Fuß über den Teppich. »Ich wollte den Jansens eine Freude machen und –«

»Hast du denn keine Sekunde lang darüber nachgedacht, dass außer den Jansens noch andere Leute bemerken könnten, dass die Wiesen über Nacht wieder grün geworden sind?«, fragte ihre Mutter scharf.

»Regina, beruhige dich!«, klinkte sich nun Lillis Oma mit strenger Stimme ein. »Lilli wollte helfen!«

Lillis Mutter schnaufte ärgerlich. Da klingelte das Telefon und sie griff nach dem Hörer. Nachdem sie »Regina Susewind« und »Ach so« und »Ah ja?« gesagt hatte, hielt sie Lilli wortlos den Hörer hin.

Lilli nahm ihn. »Hallo?«

»Hier ist Tom.«

»Oh … hi.« Lilli biss sich auf die Lippe.

»Es ist was Komisches passiert.«

»Was denn?«, fragte Lilli mit sehr kleiner Stimme.

»Ich glaube, du weißt, was los ist.«

Lilli schloss kurz die Augen.

»Wie wäre es, wenn du vorbeikommst und den anderen selbst erklärst, was du damit zu tun hast?«

»Okay, ich komme«, sagte Lilli und legte auf.

»Und wir kommen mit!«, bestimmte ihre Mutter.

Wenig später bog das Auto der Susewinds in die Einfahrt der Jansens ein. Lilli, Jesahja, Lillis Eltern und Lillis Oma stiegen aus. Frau Susewind stemmte ihre Hände in die Hüften. Die grünen Koppeln waren ihnen schon von Weitem ins

Auge gesprungen. »Das wird fürchterliches Aufsehen erregen!«, ächzte sie und schüttelte den Kopf.

»Hallo!« Tom kam auf sie zu. »Gut, dass ihr da seid.« Er stellte sich Lillis Familie kurz vor, dann folgten ihm alle zu den leuchtend grünen Weideplätzen des Reiterhofes. Während sie über den Pfad auf die Koppeln zustrebten, beschleunigte Lilli ihre Schritte und holte Tom ein. Leise fragte sie ihn: »Woher weißt du, dass ich etwas damit zu tun habe?«

Tom fixierte den Pfad. »Erinnerst du dich, wie vor ein paar Tagen plötzlich ein Büschel Gras zwischen deinen Füßen stand?«

»Natürlich erinnere ich mich«, murmelte Lilli.

»Siehst du«, erwiderte Tom. »Ich mich auch.« Er hielt an. »Da sind die anderen.«

Annabell, Slavika und Wolke standen am Gatter und betrachteten die grünen Koppeln. Offenbar konnten sie noch immer nicht fassen, was geschehen war.

Lillis Vater räusperte sich, und die drei drehten sich zu ihnen um. »Oh …«, machte Annabell überrascht.

»Wir sind die Susewinds«, erklärte Lillis Oma

und streckte Annabell die Hand entgegen. »Sehr erfreut.«

Während nun alle einander begrüßten und sich gegenseitig vorstellten, bereitete Lilli sich innerlich vor. Sobald alle Hände geschüttelt waren, sagte sie: »Wir sind wegen … des Wunders hier.«

Die Jansens blickten sie forschend an. »Hast du etwa was damit zu tun?«, fragte Slavika stirnrunzelnd.

»Ja.« Lilli nickte. »Das Wunder … also, das war ich.«

»Wie … das warst du …?«, wiederholte Wolke. Hinter dem Rahmen ihrer Brille zog sie die Augenbrauen hoch.

»Ich habe eine zweite Gabe, von der ich euch noch nichts erzählt habe«, fügte Lilli hinzu und erklärte den Jansens nun mit wenigen Worten, welche Wirkung sie auf Pflanzen hatte und wie sie in der vergangenen Nacht das Gras der Koppeln wieder zum Sprießen gebracht hatte. Die Jansens hörten ihr mit offenen Mündern zu und schienen kaum glauben zu können, was Lilli da behauptete. Ein Blick auf die Weiden war jedoch Beweis genug.

»Das gibt's ja gar nicht …«, stieß Wolke hervor.

Lilli konnte sich gut vorstellen, wie verrückt das alles für die Jansens klingen musste. »Ich wollte wiedergutmachen, dass Egobert unseretwegen weg ist und ihr deshalb solche Probleme habt«, sagte sie kleinlaut.

»Danke, Lilli«, erwiderte Annabell nach einer kleinen Pause. »Das nimmt uns die Sorge um das Futter ab.« Dann murmelte sie: »Wenn du uns auch noch Reitschüler herbeizaubern könntest …« Als sie merkte, dass sie laut gesprochen hatte, fügte sie hastig hinzu: »Wir sind euch wegen Egobert übrigens nicht böse.«

»Nicht?«, fragte Lilli.

»Nein«, antwortete Slavika. »Wir sind zwar enttäuscht, dass aus Storm nun doch kein Champion wird. Aber wir hätten keinesfalls gewollt, dass er gequält wird, um Turniere zu gewinnen. Wir lieben Pferde! Kein Pokal der Welt ist es wert, dass ein Pferd dafür leiden muss.«

Lilli spürte, wie sich ein glückliches Grinsen auf ihrem Gesicht ausbreitete.

»Deshalb sind wir euch dankbar dafür, dass ihr die Sache mit Egobert aufgedeckt habt«, sprach Annabell weiter. »Ohne euch wären wir vielleicht nie dahintergekommen – obwohl ich es immer schrecklich fand, wie streng Egobert mit Storm war. Aber wer hätte gedacht, dass er derart brutal und rücksichtslos ist, wenn wir nicht dabei sind?«

Alle blickten betroffen zu Boden.

Da sagte Slavika: »Vergessen wir Egobert! Lasst uns lieber feiern, dass die Pferde wieder grasen können!«

»Wie denn?«, fragte Wolke.

Slavika und Annabell grinsten einander verschwörerisch an. »Zur Feier des Tages gehen wir mit dir und Tom neue Schuhe kaufen. Und neue Jacken!«

»Was?« Wolke fiel aus allen Wolken. »Wirklich?« Als ihre Mutter grinsend nickte, fiel Wolke ihr um den Hals.

Tom lächelte und blickte an sich hinunter. »Das ist echt nötig.« Dann lachte er. »Wie wäre es, wenn wir jetzt die Pferde auf die Koppeln holen?«

»Au ja!«, stimmte Wolke zu. »Ich hole sie!«

»Nein, *ich* hole sie!«

Wolke schubste ihren Bruder zur Seite und

flitzte zu den Ställen. Tom fluchte und folgte ihr.

Während sie auf die Pferde warteten, begannen die Erwachsenen darüber zu sprechen, ob Egobert eine Gefahr für Lilli und Jesahja darstellte und ob man die Polizei informieren sollte. Bevor jedoch eine Entscheidung getroffen werden konnte, wechselte Lillis Mutter das Thema und bat Annabell und Slavika, unter keinen Umständen mit irgendjemandem über Lillis Fähigkeiten zu sprechen. Die Jansens versprachen, das Geheimnis für sich zu behalten. Gleich darauf stürmten die Pferde auf die Koppeln. Merlin preschte voran. »Kommt mi-i-it! Ich sage euch, das Gras ist wieder da! Im Ernst! Das stimmt! Alles ist saftfrisch!«

Die Susewinds und die Jansens traten zur Seite, um die Pferde vorbeijagen zu lassen.

»Hier ist ja plötzlich wieder alles lebendig!«, wieherte Wayomi entzückt. »Der Boden hat neue Stängel gemacht!«

»Das war Merlin!«, entgegnete Zucker. »Das hat er schon mal gemacht! Ich hab's genau gesehen!«

»Nein, das war Lilli!«, stellte Merlin richtig

und lief aufgeregt hin und her. »Lilli hat das alles grünschön gemacht! Ich sag's euch! Das stimmt!«

»Ach so! Danke, Lilli!«, johlten Zucker, Wayomi, Darling und Rasputin im Chor und machten sich begeistert über das Gras und die zarten Wiesenblumen her.

Die Susewinds und die Jansens schauten den Pferden mit glücklichen Gesichtern zu.

Nach einer Weile sagte Tom: »Ich hole Storm auf die andere Weide. Er freut sich bestimmt auch über das Gras.«

»Sei vorsichtig, Schatz!«, warnte ihn Slavika. »Er ist immer so wild, wenn man ihn führen will.«

Tom winkte ab. »Seit heute Morgen ist er eigentlich ganz friedlich.« Er warf Lilli einen vielsagenden Blick zu und eilte dann zu Storms Stall. Wenig später kamen Tom und der schöne schwarze Hengst den Pfad herauf. Storm schritt zwar nur langsam hinter Tom her, aber er schien nichts dagegen zu haben, dass der große Junge ihn am Halfter führte. Als der Hengst die grüne Koppel sah, schnaubte er überrascht. Tom klopfte ihm freundschaftlich auf die Flanke. »Das gefällt dir, was?« Er öffnete das Gatter, führte Storm auf die angrenzende Koppel und nahm ihm das Halfter ab. Der Hengst stolzierte anmutig über das frische Grün und schnupperte vorsichtig an den Halmen.

»Das war Lilli!«, krähte Merlin ihm über den Zaun hinweg zu. »Das hat alles Lilli gemacht!«

Storm hob den Kopf, und seine Augen suchten nach Lilli. Als sie sie fanden, starrte Storm sie einen Moment lang durchdringend an, dann wieherte er: »Danke, Menschenmädchen!«

Lilli lächelte zaghaft. Der schwarze Hengst verfiel in einen raschen Trab, lief quer über die Koppel und strich dabei immer wieder mit den Nüstern durch das frische Gras. Das schien ihm Spaß zu machen. Immer schneller wurde er, bis er wie ein Blitz über die blühende Weide galoppierte.

Tom pfiff durch die Zähne. »Seht euch das an!«, rief er.

Obwohl Merlin Tom nicht verstand, wieherte er einen Augenblick später genau das Gleiche. »Seht euch das an!« Der Schimmel stampfte mit den Hinterläufen auf. »Der Junge ist verdammt schnellflitzig. Se-e-ehr schnellflitzig.« Merlin wackelte beeindruckt mit dem Kopf. »Leute! Im Ernst. Guckt mal! Ich könnte schwören, dass dieser Junge auch das Zeug zum berühmtbesten Pferd der Welt hat.«

# Merlins Zauber

»Wir haben uns etwas überlegt«, sagte Annabell zu Lilli, nachdem sie den Pferden einige Zeit lang dabei zugeschaut hatten, wie sie sich über das frische Gras freuten und unbeschwert umhertollten. »Wolke hat uns erzählt, dass Merlin und du gemeinsam über einen Baumstamm gesprungen seid ...«

»Äh ...« Lilli rang verlegen die Hände, da sie nicht wusste, ob es deswegen nun Ärger geben würde.

»Hat euch das Spaß gemacht?«, fragte Slavika.

»Ja, sehr …«

»Was?«, rief Lillis Mutter. »Das ist doch gefährlich!«

Wolke widersprach. »Lilli hat ein Naturtalent dafür!«

Frau Susewind stöhnte. »Na toll. Noch ein Naturtalent …«

»Wenn man nicht übermütig wird, ist es nicht so gefährlich.« Slavika hob beschwichtigend die Hände. »Tom hat früher auf seinem Pferd Nikolaus auch an kleineren Springreitturnieren teilgenommen. Da war er gerade mal elf Jahre alt …« Als Slavika bemerkte, dass das Gesicht ihres Sohnes bei ihren Worten einen traurigen Ausdruck annahm, verstummte sie.

»Lilli«, wandte Annabell sich nun wieder an sie. »Nachdem wir von Wolke gehört haben, was Merlin dir über seine Liebe zum Springen erzählt hat, haben wir sein Bein erneut von einem Arzt untersuchen lassen.«

»Und?« Lillis Augen wurden kugelrund.

»Erstaunlicherweise scheint seine Verletzung mittlerweile völlig ausgeheilt zu sein.«

»Ja!«, rief Lilli und machte einen kleinen Hüpfer.

Da kam Merlin zu ihr herübergetrabt. »Lilli-i-i!«, wieherte er. »Du bist wieder so fröhlich! Willst du noch mehr Gras machen?«

»Nein, ich freue mich nur, weil dein Bein wieder ganz gesund ist.«

Der Schimmel blickte verdutzt drein. »Klar ist es gesund. Hab ich dir doch gesagt!«

Lilli streichelte Merlin über das weiche Maul. Dann fiel ihr auf, dass Annabell und Slavika sie anschauten, als hätten sie ihr noch mehr zu sagen.

»Möchtest du gern mit Merlin trainieren?«, fragte Annabell im nächsten Augenblick auch schon.

»Was?« Lilli musste sich am Gatter festhalten.

»Ihr beide scheint ein gutes Team zu sein«, sagte Slavika. »Merlin ist zwar nicht mehr der Jüngste, aber es sieht aus, als stecke noch mehr Energie in ihm, als wir gedacht haben. Ihr könntet zusammen auf dem Trainingsplatz üben.«

Lilli warf einen Blick auf den Platz, auf dem Egobert noch vor kurzem Storm gequält hatte. Doch dann vertrieb sie den Gedanken. Das war vorbei. »Ich … würde furchtbar gern«, sagte sie zaghaft und schaute fragend ihre Mutter an.

Frau Susewind schnaufte nur.

»Wir würden natürlich auf Lilli aufpassen«, versicherte Annabell. »Und sie übt immer nur so viel, wie sie möchte.«

»Dann würde ich sagen, dass dem Ganzen nichts im Wege steht«, erklärte Lillis Oma. Lillis Mutter warf ihr einen bösen Blick zu, entgegnete aber nichts.

Lilli jubelte. »Merlin!«, rief sie. »Wir dürfen zusammen auf dem Platz springen!«

»Was?« Merlins Ohren zuckten zurück. »Das ist ja …« Der Schimmel konnte kaum glauben, was er da hörte. »Wir springen da drüben über die richtigen Hindernisse? Wir beide? Da drüben? Jetzt? Oder gleich? Besser jetzt gleich!«

Lilli strahlte. »Merlin möchte am liebsten sofort anfangen«, übersetzte sie für Annabell und Slavika.

»Okay! Warum nicht«, erwiderten die beiden.

Lilli gluckste begeistert und sprintete los, um Zaumzeug und Sattel zu holen. Jesahja half ihr dabei.

Wenig später waren Merlin und Lilli startklar. Leichtfüßig trug der Schimmel Lilli zum Trainingsplatz, der unterhalb der Koppel lag, auf der Storm graste. Die Jansens und Lillis Familie folgten ihnen. Annabell ging neben Merlin her und erklärte Lilli, worauf sie beim Springreiten achten musste. Lilli hörte aufmerksam zu, bis sie den Trainingsplatz erreichten.

Kaum betrat Merlin den Parcours, ging ein Beben durch seinen Körper, und der Schimmel spannte sämtliche Muskeln an. »Da bin ich wieder«, schnaubte er beinahe andächtig und begann zu traben. Lilli ließ Merlin freie Hand, denn der Schimmel wusste sehr viel besser als sie, wie man sich auf einem Springparcours verhält. Sie konzentrierte sich einzig und allein darauf, mit seinen Bewegungen zu verschmelzen.

Das erste Hindernis kam näher. Merlin schnaubte: »Jetzt geht's los!«, und gleich darauf flogen Lilli und er schon über die Stangen. Sobald sie wieder aufsetzten, wieherte er: »Juhu-u-u! Das war gut, was? Gar nicht übel. Das stimmt!«

Da erklang Beifall. Lilli blickte sich um. Annabell, Slavika, Tom, Wolke, Jesahja und Lillis

Familie standen am Rande des Platzes und applaudierten. Slavika schüttelte gerade den Kopf und sagte zu Lillis Vater: »Unglaublich! Sind Sie sicher, dass Ihre Tochter das noch nie gemacht hat? Sie reitet wie ein Profi!«

Herr Susewind grinste stolz von einem Ohr zum anderen.

Lilli ritt weiter. Merlin wusste sehr genau, was er zu tun hatte. Konzentriert nahm er ein Hindernis nach dem anderen, und jedes Mal, wenn er über eines hinweggesprungen war, wieherte er übermütig und freute sich wie verrückt. Seine Begeisterung war ansteckend, und auch Lilli verfiel nach jedem Sprung in Jubelschreie und Freudenausrufe – was zur Folge hatte, dass der Parcours schon nach kurzer Zeit mit Hunderten von Blümchen übersät war.

Als Lilli zwischen zwei Sprüngen einen kurzen Blick zu Jesahja hinüberwarf, machte er ihr ein Zeichen und bedeutete ihr, zur Koppel zu schauen. Lilli folgte seiner Aufforderung und sah, was Jesahja meinte: Storm stand stocksteif auf der Weide und starrte zu ihr und Merlin herüber. Lillis Finger krampften sich erschrocken um die Zügel. Der Hengst sah aus wie vom Donner gerührt! War es für ihn schlimm, jemanden auf dem Platz zu sehen? Erinnerte ihn das an die Qualen, die er hier hatte erleiden müssen?

»Merlin!«, rief Lilli und stoppte den Schimmel. »Lass uns für heute aufhören.«

»Was?«, beschwerte sich Merlin. »Aber es ist doch gerade so spaßherrlich!«

Lilli erklärte ihm, dass es für heute genug sei, und Merlin fügte sich rasch. »Aber morgen springen wir wieder, ja?«, fragte er und tänzelte aufgeregt auf der Stelle.

»Ja, das machen wir«, versprach Lilli.

Sobald Lilli abstieg, lobte Annabell: »Das war phantastisch!« Auch Slavika schien sehr beeindruckt von Lillis Talent und begann gerade, sie ebenfalls zu loben, da unterbrach Lilli sie. »Ich muss kurz mit Storm sprechen.« Und schon lief Lilli zu Storms Weide.

Der Hengst stellte wachsam die Ohren auf, als sie sich ihm näherte. »Storm …«, sagte Lilli mit weicher Stimme.

Der Hengst warf den Kopf zurück und blickte irritiert zu Merlin hinüber. »Er springt gern.« Storm klang, als könne er nicht fassen, was er soeben gehört und gesehen hatte.

»Ja, Merlin liebt es zu springen.«

»Er … liebt es …« Storms Hals zuckte. »Wieso? Hat er denn keine Angst? Tut ihm das Beinfeuer nicht weh?«

»Nein, Merlin hat noch nie Beinfeuer erlebt.«

»Aber er springt doch!«

»Er springt ohne Beinfeuer.«

Storm stampfte mit den Hufen auf. »Wie kann das sein?«

»Man kann auch ohne das Feuer springen. Ohne Angst.«

Der Hengst schüttelte den schönen Kopf. Diese Vorstellung schien ihm völlig neu zu sein. »Ohne Angst …«, schnaubte er verwirrt. »Ohne Angst!« Er drehte sich um und zog sich im Galopp an den äußersten Rand der Koppel zurück. Lilli schaute ihm mit gerunzelter Stirn nach.

»Was ist mit ihm?« Tom stand plötzlich hinter Lilli.

»Er kann nicht fassen, wie gern Merlin springt.«

»Oh.« Tom nickte. »Das muss ihm verrückt vorkommen.« Lilli sah Tom an, wie besorgt er um Storm war. »Soll ich Storm beim nächsten Mal lieber auf eine andere Koppel lassen?«, fragte der Junge mit den verstrubbelten Haaren.

Lilli dachte nach. »Nein«, sagte sie dann. »Lass ihn ruhig weiter zuschauen.«

Am folgenden Tag radelten Lilli und Jesahja gleich nach der Schule wieder zum Reiterhof. Lilli hatte Merlin versprochen, wieder mit ihm zu springen, und sie selbst freute sich ebenso sehr darauf wie der Schimmel. Sobald sie ihr Training auf dem Platz begannen, war Merlin vollkommen in seinem Element. Mit stolzer Körperhaltung galoppierte er an die Hindernisse heran, und wenn er über eines hinwegsprang, wieherte und johlte er vor Freude, und Lilli johlte mit.

Jesahja und Wolke standen am Rande des Platzes und schauten Lilli und Merlin zu. Neben ihnen saß Tom auf dem Zaun. Wolke und Tom trugen neue Turnschuhe. Für ihre neuen Jacken war es an diesem Tag allerdings viel zu warm.

Es dauerte nicht lange, da gesellten sich auch Annabell und Slavika zu ihnen. Es schien, als

wolle keiner verpassen, was sich auf dem Platz abspielte.

Merlin war überglücklich. »Ich bin ein Wunderpferd!«, grölte er. »Ein springhüpfendes Wunderpferd!«

Lilli kicherte.

»Und du bist eine Wunderlilli-i-i!«

»Ihr seid laut!«, erklang plötzlich eine ernste Stimme.

Lilli blieb das Lachen im Halse stecken. Storm! Der schwarze Hengst stand am Gatter seiner Koppel, keinen Steinwurf von ihnen entfernt. Lilli hatte ihn zuvor gar nicht bemerkt. Schaute er ihnen schon lange zu?

»Wir sind frohglücklich!«, erklärte Merlin dem Hengst gluckernd. »Total frohglücklich!«

»Das sehe ich«, schnaubte Storm mit tiefer Stimme.

»Springen ist das Größte!«, fügte Merlin aufgedreht hinzu. »Ich könnte immer nur springen! Jeden Tag, von morgens bis abends! Und auch nachts! Und überhaupt!«

Storm hörte Merlin mit schief gelegtem Kopf zu.

»Was sagt er denn?«, rief Tom vom Zaun her,

doch Lilli antwortete nicht. Sie hielt den Atem an. Sie hatte das Gefühl, dass Merlins Erklärungen Storm nachdenklich machten.

»Ohne Beinfeuer …«, murmelte Storm.

»Ohne was?« Merlin wackelte mit dem Kopf. »Mein Bein ist total in Ordnung!«

»Dir tut nichts weh?«

»Nö! Nix! Ich li-i-iebe Springen!« Merlins Augen glänzten. »Ich mag Springen am allerliebsten. Lieber als Ausreiten. Lieber als Schlafen. Lieber als Fressen!« Er prustete aufgeregt in Storms Richtung. »Willst du mal mitspringen? Dann siehst du, wie frohschön das ist!«

Der schwarze Hengst erstarrte.

»Du musst keine Angst haben!«, rief Merlin. »Du kannst das bestimmt gut! Ich hab ja gesehen, wie schnellflitzig du bist. Und bei deinen langen Beinen kommst du bestimmt auch gut über die Hürden drüber.«

Lilli verfolgte atemlos, was da gerade zwischen Merlin und Storm geschah.

Übermütig rief Merlin: »Mach doch einfach mal mit!« Er trabte zu Storm hinüber. »Lilli! Wir müssen das *Auf und zu* für ihn wegmachen!« Merlin stupste mit den Nüstern gegen das Gatter, hinter dem Storm stand.

»Was hast du vor?«, rief Annabell, als Lilli nun vom Pferd sprang und das Gatter öffnete. Lilli machte eine Handbewegung, die besagen sollte, dass sie später alles erklären würde.

Das Gatter war geöffnet. Aber Storm stand wie angewurzelt da.

»Was hat das zu bedeuten?«, fragte Wolke. Aber niemand antwortete.

»Du kannst jetzt raus! Komm! Hier geht's lang!«, rief Merlin, lief zu Storm, stieß ihn leicht an, lief durch das Gatter zurück und schaute sich nach ihm um. »Na, kommst du?«

Der schwarze Hengst schnaubte. Sein Schweif schwang nervös hin und her.

»Keine Angst!«, rief Merlin. »Ich zeig dir alles. Das wird total spaßherrlich. Hier lang!« Er lief leichtfüßig zum Platz zurück.

»Keine Angst ...«, wiederholte Storm. »Keine Angst.« Er setzte sich langsam in Bewegung. Mit kleinen Schritten trat er durch das Gatter, und Lilli hörte Tom und Slavika nach Luft schnappen.

»Du musst einfach nur rumlaufen«, erklärte

Merlin Storm. »Und wenn eine Hürde kommt, springst du drüber. Ist ganz leicht! Laufen, springen, laufen, springen.« Schon begann Merlin wieder zu traben. »Guck mal!« Er nahm Anlauf und hielt auf ein Hindernis zu. »Guck dir das an! Ich bin ein Wunderpfe-e-erd!«, wieherte er Storm aufgekratzt zu und achtete dabei nicht genug auf das Hindernis. Erst im letzten Moment bemerkte er, dass es bereits direkt vor ihm war, und setzte ächzend zum Sprung an. Seine Vorderläufe stießen gegen die oberen beiden Stangen der Hürde und rissen sie herunter. Mit lautem Getöse fielen sie zu Boden.

Storm zuckte zusammen und starrte Merlin erschrocken an.

»Ach herrje-e-e!«, wieherte Merlin. »Das war wohl nichts.« Er schüttelte die weißgraue Mähne. »Da habe ich die Klappe zu weit aufgerissen, was? Ha!« Er lachte ein Pferdelachen.

Storm kam zögerlich näher. »Hast du keine Schmerzen?«

»Quatsch! Was für Schmerzen?«

»Oh ... aber ... schlägt dich denn jetzt niemand?« Storm blickte zu Lilli. Doch er schien sofort zu erkennen, dass Lilli Merlin gewiss nicht schlagen würde. Er schaute zu den Jansens hinüber und schien zu demselben Schluss zu kommen. Von diesen Menschen würde keiner Merlin schlagen. Verwirrt schüttelte Storm den Kopf, während Tom und Slavika auf den Platz kamen, um die heruntergerissenen Stangen wieder auf das Hindernis zu hieven.

Merlin zappelte hin und her. »Warte! Guck jetzt nochmal! Ich springe über das da!« Er lief wieder los und sprang konzentriert über das nächste Hindernis. »Ah! Das war gut! Hast du das gesehen?«

In Storms schönen Augen glomm plötzlich etwas auf. Lilli sah es genau, denn sie stand nahe genug bei dem Hengst, um zu bemerken, dass etwas in ihm vorging. »Wenn es kein Feuer und keine Schläge gibt, macht das Springen vielleicht wirklich Spaß ...«, murmelte er und scharrte mit dem Vorderhuf in dem lockeren, mit Blümchen bewachsenen Boden. »Keine Angst ...« Er begann zu traben. »Einfach nur laufen und springen. Laufen und springen. Ganz einfach«, schnaubte er vor sich hin, während er ein Hindernis anvisierte. Er beschleunigte und sprang. Mit einer Eleganz, die selbst Frau von

Schmidt neidisch gemacht hätte, flog er im hohen Bogen über die Stangen und setzte graziös auf der anderen Seite wieder auf.

»Ui-i-i!«, jubelte Merlin. »Das war ja supersteilhoch! Du bist wirklich nicht übel, Junge. Im Ernst! Das stimmt!«

Storm schnaubte freudig.

»Springen wir über das da drüben!« Merlin eilte an Storms Seite.

Lilli konnte kaum fassen, was sie sah: Der Schimmel und der schwarze Hengst stürmten gemeinsam auf ein doppeltes Hindernis zu. Im nächsten Augenblick hoben sie gleichzeitig vom Boden ab und sprangen ohne Mühe über die erste und gleich darauf über die zweite Hürde.

Lilli hörte Slavika sagen: »Ich glaube, ich träume.«

Da wieherte Storm: »Das war gut, oder?«

»Ja! Sonderprächtig! Extrem sonderprächtig!«, stimmte Merlin zu. »Aber Lilli muss auch mitspringen!« Er sah sich nach ihr um. »Lilli-i-i! Kommst du wieder rauf?« Einladend wackelte er mit dem Hinterteil.

»Natürlich!« Lilli lief zu Merlin hinüber.

»Du brauchst auch einen Reiter!«, erklärte Merlin Storm.

Kaum hatte Merlin dies gesagt, versteifte sich Storm. »Nein«, ächzte er kaum hörbar.

»Warum nicht?«, fragte Merlin arglos, während er die Vorderbeine einknickte, um Lilli aufsteigen zu lassen. »Ist doch viel spaßlustiger mit einem Reiter.«

»Ich ...« Storms Flanke zitterte.

»Im Ernst! Da drüben stehen doch genug rum!« Merlin wies mit dem Kopf auf die Jansens.

Storm blickte unsicher zu Annabell, Slavika und den anderen hinüber. »Sie sind Menschen.« Seine breite Brust bebte. »Und doch ...« Er schnaubte. »Sie haben keine Prügelstöcke ...«

Lilli hatte das Gefühl, dass nun der Zeitpunkt gekommen war, um auch etwas zu sagen. »Sie würden dich niemals schlagen. Keiner von ihnen. Sie fänden es wunderbar, wenn du einem von ihnen erlauben würdest, auf dir zu reiten.«

Storm starrte die Jansens grübelnd an. In seinem Kopf schien es schwer zu arbeiten. Schließlich sagte er: »Wenn der Junge auf mir reiten will, dann darf er das.«

»Tom?« Lillis Herz machte einen Sprung. »Soll ich ihn mal fragen?«

Storm stimmte zu, und Lilli rief: »Tom! Storm möchte, dass du auf ihm reitest!«

Tom entgleisten alle Gesichtszüge. »Was?«, keuchte er und fiel fast vom Zaun.

»Storm fragt, ob du auf ihm reiten möchtest!«, wiederholte Lilli grinsend. Sie war sicher, dass Tom sich das insgeheim schon lange gewünscht hatte. »Na los! Hol schnell einen Sattel und deine Kappe!«

Einen Augenblick lang starrte Tom sie entgeistert an, dann sprang er vom Zaun und sauste schneller als der Schall zum Sattelraum. Innerhalb von zwei Minuten war er wieder da und trat atemlos vor den schwarzen Hengst. »Darf ich?«, fragte er und blickte Storm respektvoll an.

Lilli übersetzte, und Storm erlaubte Tom, ihn zu satteln.

»Geht's jetzt weiter?«, fragte Merlin unterdessen und zappelte herum. Lilli bat ihn um ein klein wenig Geduld.

Kurz darauf war Storm gesattelt. Slavika, Anabell, Wolke und Jesahja hatten sich mittlerweile um die Pferde versammelt. Slavika legte ihrem Sohn die Hand auf die Schulter und sah ihn lange an. Es war viel Zeit vergangen, seit Tom zum letzten Mal auf einem Pferd gesessen hatte.

Tom war sichtlich bewegt. Er lächelte tapfer und wandte sich Storm zu, um aufzusteigen. Doch bevor er den Fuß in den Steigbügel stecken konnte, knickte Storm die Vorderbeine ein und ging vor Tom in die Knie. Tom traten Tränen in die Augen. Doch dann lachte er, wischte die Tränen fort und stieg auf.

Gleich darauf stand Storm wieder aufrecht.

»Los ge-e-eht's!«, wieherte Merlin und setzte sich schwungvoll in Bewegung. Storm zögerte einen kurzen Augenblick, dann trabte er ebenfalls los und gesellte sich zu dem Schimmel. Seite an Seite hielten sie auf das nächstliegende Hindernis zu.

Lilli lächelte Tom zu, und Tom lächelte selig zurück. Man sah ihm an, wie sehr das Reiten ihm gefehlt hatte und wie glücklich er war, dass Storm ihn als Reiter ausgesucht hatte.

Dann sprangen sie. Und als Merlin und Lilli »Hurra!«, brüllten, fielen Storm und Tom lauthals in den Jubel mit ein.

# Ein Pony auf dem Schulhof

»Gehen wir heute nach der Schule wieder zum Jansenhof?«, fragte Lilli Jesahja. Es war Freitagmorgen, und sie waren auf dem Weg zur Schule.

»Klar, wohin sonst?« Jesahja grinste. Während der vergangenen Woche waren sie jeden Nachmittag dort gewesen und hatten Reitstunden genommen. Jesahja ritt mit jedem Tag besser, und Lilli machte mit Merlin auf dem Springplatz ebenfalls riesige Fortschritte. Annabell hatte ihr sogar gesagt, dass sie und Merlin, wenn sie so weitermachten, bald an einem Turnier teilnehmen könnten. Der Gedanke faszinierte Lilli.

Meist übten sie gemeinsam mit Storm und Tom, die beide mit ebenso viel Eifer bei der Sache waren. Storm hatte seine Angst inzwischen vollkommen überwunden und bat Lilli oft, Tom zu fragen, ob er noch länger mit ihm trainieren könne. Natürlich tat Tom nichts lieber als das.

»Kommt Schmidti heute auch wieder mit in die Schule?«, wuffte Bonsai, der Lilli in der vergangenen Woche jeden Tag in die Schule begleitet hatte.

»Schmidti?«, wiederholte Lilli und sah Jesahja fragend an. »Ich weiß gar nicht –«

»Ich bin hier, Madame«, erklang eine Katzenstimme über ihnen. Auf einer Mauer, die parallel zum Gehweg verlief, flanierte Frau von Schmidt. »Dank meines meisterhaften Schleichgeschicks und meiner sachverständigen Lautlosigkeit haben Sie offensichtlich nicht bemerkt, dass ich Ihnen bereits seit geraumer Zeit folge.«

»Hey Schmidti da oben!«, bellte Bonsai freundlich.

»Herr von Bonsai, seien Sie gegrüßt. In aller Form!«, antwortete die Katze geziert, obwohl sie den Hund nicht verstand und es zudem erst eine Viertelstunde her war, dass sie Seite an Seite mit ihm gefrühstückt hatte. »Nun zu etwas äußerst Unerfreulichem«, sagte die Katze an Lilli gewandt.

»Ja?« Lilli warf einen Blick auf die Uhr. Es war erst halb acht. Sie hatten noch genügend Zeit.

»Ich möchte Sie in aller Dringlichkeit darum bitten, mich immer und unter allen Umständen mit meinem vollständigen Titel anzusprechen und nicht mit dieser überaus geistlosen Kurzanrede!« Sie zog säuerlich die Lefzen hoch. »Mich überfällt eine ausgesprochene Verdrießlichkeit, wenn ich dieses Wort höre. Schmi... Schmidti.« Es gelang ihr kaum, ihren ungeliebten Spitznamen hervorzubringen.

Lilli neigte demütig den Kopf. »Ich werde mich um Besserung bemühen, Madame von Schmidt. Natürlich weiß jeder, dass Sie eine Katze von Welt sind und auch so angesprochen werden müssen.« Sie zwinkerte Jesahja zu.

»Fürwahr!« Die Dame schnupfte. »Nun denn. Nachdem dies geklärt ist, dürfen Sie mich jetzt hinunterheben.«

Lilli zog ihre Lippen nach innen, um nicht zu grinsen. Das »Schleichgeschick« der Katze hatte wohl seine Grenzen. Sie reckte sich und hob Frau von Schmidt von der Mauer. Gerade als Lilli sie absetzen wollte, verkündete die Katzenlady: »Ich gestatte Ihnen, mich den Rest des Weges zu tragen.« Lilli seufzte und fügte sich. Zum Glück war es bis zur Schule nicht mehr weit.

Kurz darauf kamen sie auf dem Schulhof an. Es war recht früh, daher hielten sich noch nicht allzu viele Schüler dort auf. Als Lilli sich umsah, erkannte sie eine Gestalt, die auf einer Bank saß und über Ohrstöpsel Musik hörte. Trixi Korks. Lilli schaute schnell woanders hin.

Doch plötzlich bellte Bonsai: »Da ist das Mädchen, das im Schulzimmer immer neben uns sitzt!« Er wedelte mit dem Schwanz. »Ich geh mal rüber und sag Hallo!«

Lilli stutzte. Bonsai schien erfreut, Trixi zu sehen.

»Hallo! Mädchen mit den gelben Haaren!« Bonsai stellte sich mit wedelndem Schwanz vor Trixi. »Na? Alles fit?«

Trixi starrte den Hund mit ausdruckslosem Gesicht an. Sie blickte kurz zu Lilli, sah aber schnell wieder weg, als sie merkte, dass Lilli sie beobachtete.

Bonsai setzte sich neben Trixi und kläffte: »Du kannst mich ja streicheln!« Erwartungsvoll hechelte er sie an. Sein Verhalten war unmissverständlich.

Trixi hob langsam die Hand und strich ihm über den Kopf. Der kleine Hund schloss genießerisch die Augen.

»Bonsai scheint sie zu mögen«, bemerkte Jesahja.

Lilli zog eine Grimasse. »Er weiß ja nicht, was sie alles getan hat!«

Da stürmten Torben, Fabio und die anderen Jungs aus Jesahjas Klasse auf den Schulhof. Rüde grüßten sie und verwickelten Jesahja gleich in ein Gespräch.

Lilli wandte sich ab und entdeckte Wolke, die den Waldpfad entlangkam, der ihr Schulweg war. Lilli kniff die Augen zusammen. Irgendjemand schien Wolke in einigem Abstand zu folgen. Oder besser … irgendetwas. Lillis Augen verengten sich noch mehr. »Ein Pferd …«, murmelte sie ungläubig. Hinter Wolke trappelte ein Pferd den Pfad entlang!

»Was?« Jesahja hatte Lillis Murmeln gehört. Lilli zeigte ihm, was sie meinte, und Jesahja fielen beinahe die Augen aus dem Kopf. »Darling!«, stieß er hervor.

Die Jungen neben ihm verfielen in glucksendes Gelächter. »Nennst du sie so?«, fragte Torben Jesahja und betrachtete Lilli mit spöttischem Grinsen.

»Quatsch!« Jesahja verdrehte die Augen. »Das Pferd heißt Darling!« Er wies auf den Waldpfad.

»Kommt da ein Pferd den Weg runter?«, fragte Fabio und klang dabei nicht sehr intelligent.

»Es gehört Wolke«, erklärte Jesahja.

Wolke betrat den Schulhof und blieb unsicher stehen, denn sämtliche Schüler, die sich mittlerweile auf dem Hof eingefunden hatten, starrten das Mädchen an. Wolkes Gesicht verlor alle Farbe, und sie zog die Schultern hoch. Sie war noch immer furchtbar schüchtern.

Lilli eilte an ihre Seite. Jesahja folgte. »Wolke, guck mal.« Sie deuteten auf den Pfad.

Wolke drehte sich um. Ein ächzendes Geräusch entfuhr ihr. »Darling!«

Das falbfarbene Pony trabte mit federnden Schritten heran. »Hallo, mein Mä-ä-ädchen«, wieherte es. »Ich bin jetzt auch hier. So ist das.«

DARLING
NENNST DU SIE SO?

»Was sagt sie?«, fragte Wolke Lilli atemlos.

»Äh ... ich habe ihr erzählt, dass Bonsai und Schmi... Frau von Schmidt mit mir in die Schule gehen«, antwortete Lilli. »Wahrscheinlich möchte Darling auch einfach nur bei dir sein.« Während Lilli sprach, bemerkte sie, dass die übrigen Schüler Wolke und das Pony neugierig beäugten. Einige von ihnen kamen nun sogar heran.

»Du hast ein Pferd?«, fragte ein Mädchen aus ihrer Klasse, das noch nie ein Wort mit Wolke gewechselt hatte.

Wolke nickte schüchtern. »Ja, das ist mein Pony Darling.«

»*Dein* Pony?« Sonay stand plötzlich neben ihnen. »Wie süß! Darf ich das mal streicheln?«

»Klar.« Wolke lächelte scheu.

Sonay strich begeistert über Darlings weichen Rücken.

»Darf ich auch mal?«, bat ein anderes Mädchen, und mit einem Mal fragten alle Umstehenden gleichzeitig, ob sie das Pony streicheln dürften. Wolke erlaubte es ihnen. Immer mehr Schüler liefen herbei, und innerhalb kürzester Zeit waren Wolke und ihr Pony von vielen Neugierigen umringt.

Doch ein paar Jungen und Mädchen hielten sich fern. Trixi blieb allein auf ihrer Bank sitzen und verfolgte das Geschehen aus der Ferne. Und an einem Baum lehnten Gloria und Viktoria, die mit finsteren Mienen beobachteten, wie die halbe Schule sich um Wolke und Darling drängte. Auch Torben schien es ganz und gar nicht zu gefallen, dass Wolke plötzlich im Mittelpunkt stand.

»Wieso hast du ein eigenes Pferd?«, wollte Jessica aus der Klasse über ihnen wissen.

»Meine Familie hat einen Reiterhof«, antwortete Wolke.

Augenblicklich ertönten zahllose »Ohs« und »Wows«.

Wolkes Wangen röteten sich vor Freude. Da stieß sie jemand an und sagte anerkennend: »Coole Schuhe!« Als Wolke das hörte, vertiefte sich das Freudenrot auf ihren Wangen. Sie trug ihre neuen Turnschuhe.

»Ich wollte schon immer mal auf einem Pferd reiten«, bemerkte Jessica nun, während sie Darling vorsichtig über die Nüstern strich. »Kann man bei euch Reitstunden nehmen?«

Wolke war von dieser Frage so überrascht, dass sie Jessica sprachlos anstarrte. Jesahja kam ihr zu Hilfe. »Klar kann man das!«, sagte er und sprach so laut, dass ihn alle gut hören konnten. »Lilli und ich machen das auch. Wir durften uns auf dem Jansenhof unsere Pferde selbst aussuchen und reiten jetzt jeden Tag!«

»Echt?«, erwiderte ein Junge, der neben ihm stand. Ihm war anzusehen, dass ihm die ganze Sache weitaus »cooler« erschien, wenn ein Junge wie Jesahja auch zum Reiten ging. »Kann ich das auch machen?«, fragte er.

»Bestimmt!«, erwiderte Jesahja. »Bei den Jansens kann man auch Schnupperstunden nehmen.« Wolke blickte ihn fragend an, aber Jesahja zwinkerte ihr nur zu. »Man kommt einfach mal auf den Hof und guckt, ob einem das Reiten Spaß macht.«

»Wenn meine Mutter es mir erlaubt, komme ich mal zu euch, ja?«, fragte Jessica Wolke. »Wo wohnt ihr denn?«

»Ja! Ich möchte auch reiten!«, rief ein anderes Mädchen.

Lilli konnte kaum glauben, was gerade geschah. Es sah so aus, als würde der Jansenhof nun die Reitschüler bekommen, die ihm so dringend fehlten!

Wolke fand ihre Sprache wieder und erklärte, wie man am besten zum Reiterhof kam. Dabei stahl sich ein Lächeln in ihr Gesicht, und sie warf Jesahja einen dankbaren Blick zu. Die Idee mit den Schnupperstunden war einfach super. »Ihr könnt alle am Wochenende kommen, wenn ihr möchtet«, schlug Wolke vor, und die Umstehenden willigten begeistert ein.

# Mut

»Was ist denn hier los? Wem gehört das Pferd?«, erklang die Stimme von Herrn Gümnich, der gerade über den Schulhof auf sie zu eilte.

»Das ist meins«, erwiderte Wolke. »Es ist mir nachgelaufen.«

Der Lehrer seufzte. »Das scheint hier langsam zum Trend zu werden.« Er schüttelte den Kopf. »Ins Klassenzimmer kann es aber nicht! Ein Pferd ist kein Schoßhund!«

»Es könnte da drüben grasen«, schlug Jesahja vor und zeigte auf ein Stück Wiese, das gleich neben dem Schulhof lag.

»Läuft es dort nicht weg?«

»Nicht, wenn Lilli ihm sagt, dass es da bleiben soll.«

Herr Gümnich nickte und bat Lilli, mit dem Pferd zu sprechen. Lilli tat das gern und schärfte Darling ein, auf keinen Fall fortzulaufen, auch wenn sie und Wolke nun im Schulgebäude verschwinden würden. Während Lilli mit Darling redete, löste sich die Schüleransammlung auf, und alle begaben sich in ihre Klassen.

Ein paar Minuten später saß auch Lilli im Klassenraum. Durch das Fenster konnte sie Darling sehen, die auf der ausgetrockneten Wiese neben dem Schulhof geduldig nach fressbarem Gras suchte.

Lilli wandte ihre Aufmerksamkeit dem Geschehen im Klassenzimmer zu. Frau von Schmidt thronte auf Herrn Gümnichs Pult – mitten auf den Unterlagen des Lehrers – und blickte würdevoll in die Runde. Herr Gümnich hatte sich inzwischen daran gewöhnt, dass die Katze gern dort saß, wo alle sie sehen konnten. Bonsai lag derweil zufrieden zwischen Lilli und Trixi unter dem Tisch.

Trixi spielte mit einem Bleistift herum und

schien sehr angespannt zu sein. Da knackte der Bleistift zwischen ihren Fingern und brach mittendurch.

Lilli wagte einen kurzen Seitenblick auf Trixi. Sie sah wütend aus. Was war nur los? Da fiel Lilli auf, dass auch mit Wolke etwas nicht in Ordnung zu sein schien. Wolke wirkte aber nicht wütend, sondern eher verstört. Verängstigt! Irgendetwas musste passiert sein, während Lilli sich um Darling gekümmert hatte!

Da rief der Lehrer: »Wolke! Wo sind denn deine Schuhe?«

Lillis Blick wanderte zu Wolkes Füßen. Ihre Turnschuhe waren fort. Wolke trug nur noch Socken.

Wolke war die Frage des Lehrers offenbar sehr unangenehm. Stockend antwortete sie: »Sie sind … weg.«

»Weg?«, wiederholte Herr Gümnich.

Trixis Mund war nur noch ein schmaler Strich.

Zwischen Lillis Augenbrauen bildete sich eine steile Falte. Was ging hier vor? Hatte Trixi etwa irgendetwas mit dem Verschwinden von Wolkes Schuhen zu tun?

»Ich möchte nicht darüber reden«, presste Wolke hervor.

»Hast du sie ausgezogen?«, wollte der Lehrer wissen.

»Blöde Frage«, stieß Trixi zwischen den Zähnen hervor. Aber außer Lilli schien es niemand zu hören.

»Ist doch egal«, gab Wolke zurück, und man merkte ihr an, dass sie kurz davor stand, zu weinen.

»Du kannst es ruhig sagen.«

»Nein, kann ich nicht!« Wolke verschränkte die Arme, und in ihre Augen schossen Tränen.

»Du wirst sie doch nicht einfach so verloren haben …«

»Natürlich nicht!«, platzte Trixi heraus.

Alle Augen richteten sich auf sie.

»Trixi?«, fragte Herr Gümnich. »Weißt du etwas darüber?«

Trixi schwieg und biss die Zähne so fest zusammen, dass ihre Kiefermuskeln hervortraten.

Wolke schniefte. »Bitte fragen Sie nicht!«

»Ich kann das nicht einfach ignorieren.« Herr Gümnich holte hörbar Luft. »Wir können auch unter vier Augen –«

»Wolke ist abgezogen worden«, sagte Trixi tonlos.

»Halt den Mund, Trixi!«, keuchte Wolke.

»Abgezogen?«, fragte Herr Gümnich. »Du meinst, ihre Schuhe sind ihr gestohlen worden?«

»Ja. Ihre Schuhe sind ihr gestohlen worden.«

»Von wem?«, verlangte der Lehrer zu wissen.

»Nicht!«, flehte Wolke, aber Trixi ignorierte sie. »Von Gloria und Viktoria«, erwiderte sie mit dumpfer Stimme.

Gloria, die bisher völlig unbeteiligt dagesessen hatte, zischte: »Überleg dir gut, was du sagst, Korks!«

Trixi hielt einen Moment lang inne. Dann sagte sie: »Ich habe eben gesehen, wie Gloria und Viktoria Wolke gezwungen haben, ihnen ihre neuen Schuhe zu geben.«

Gloria schlug auf den Tisch. »Halt's Maul, Korks!«

Trixis Stimme wurde lauter. »Und das war nicht das erste Mal, dass die beiden Wolke abgezogen haben.«

Gloria stand auf. »Wenn du noch *ein* Wort sagst …«

HALT'S MAUL, KORKS

Aber Trixi sprach ohne Pause weiter. »Letzte Woche haben die beiden Wolke gezwungen, ihnen ihre Kette mit dem Pferdeanhänger zu geben. Ich habe sie beobachtet. Sie haben Wolke gedroht, sie zu verprügeln, wenn sie ihnen den Anhänger nicht gibt.«

»Das ist doch totaler Quatsch!«, schrie Viktoria und sprang ebenfalls auf. »Das stimmt alles gar nicht!« Ihre Stimme schrillte durch das Klassenzimmer.

Herr Gümnich sah mit strengem Blick von einer zur anderen, dann zu Wolke. »Stimmt es, was Trixi sagt?«

Es wurde totenstill im Raum. Alle warteten auf Wolkes Antwort. Wolke machte sich auf ihrem Stuhl ganz klein, doch schließlich stieß sie hervor: »Ja. Trixi sagt die Wahrheit.«

Mehrere Schüler schnappten nach Luft. Der Lehrer ließ sich auf seinen Stuhl fallen. Gloria und Viktoria standen mit hochroten Gesichtern hinter ihrem Tisch, aber es gab nichts, was sie jetzt noch sagen konnten.

Herr Gümnich rieb sich betroffen den Nacken. »Ich rufe eure Eltern an«, sagte er und erhob sich, um zu telefonieren.

Eine Stunde später waren die Plätze der Mädchen leer. Glorias Vater und Viktorias Mutter waren gekommen und saßen nun mit ihren Töchtern beim Direktor der Schule. Sowohl Wolkes bronzefarbenen Pferdeanhänger als auch ihre Schuhe hatte man in Glorias Rucksack gefunden.

Es herrschte eine seltsame Stimmung im Klassenraum. Lilli konnte sich kaum auf den Unterricht konzentrieren, denn ihre Gedanken kreisten um Wolke. Wolke war von Gloria und Viktoria bestohlen und erpresst worden – und hatte aus Angst nichts gesagt! Wieso hatten Jesahja und sie das nicht bemerkt? Trixi hatte es doch auch bemerkt! Aber noch erstaunlicher war, dass Trixi sogar den Mut gehabt hatte, die Mädchen zu verraten. Trixi, die bisher immer selbst diejenige gewesen war, die anderen gedroht und sie verletzt hatte! Lilli schaute aus den Augenwinkeln zu ihrer Erzfeindin, die wie eine Säule aus Stein neben ihr saß. Lilli hatte keine Ahnung, was in dem großen, blonden Mädchen mit den Sommersprossen vorging. Aber sie ertappte sich bei dem Gedanken, dass Wolke ohne Trixis Hilfe womöglich noch viel länger gedemütigt und erpresst worden wäre.

Wolke war offenbar viel zu ängstlich, um sich zu wehren.

Es klingelte zur Hofpause. Lilli war froh, aus dem Klassenraum hinaus und auf den Hof zu kommen. Wolke folgte ihr mit gesenktem Kopf. Sobald sie den Schulhof betraten, trabte Darling auf sie zu. »Hallo, mein Mä-ä-ädchen!«

Wolke lief zu Darling, schlang ihr die Arme um den Hals und vergrub ihr Gesicht im hellen Fell der Stute. Nach und nach sammelten sich erneut zahllose Schüler um das Pferd. Als Jessica Wolke fragte, ob es ihr gut ginge, blickte Wolke schließlich auf und zog die Nase hoch.

Da kamen Jesahja und die Jungs aus seiner Klasse auf den Hof. Als Torben Wolke und das Pony sah, blieb er stehen. An seiner Miene war deutlich zu erkennen, wie sehr es ihm missfiel, dass einem unscheinbaren Mädchen wie Wolke durch ihr Pferd so viel Aufmerksamkeit zuteil wurde.

Er kam mit großen Schritten näher. Lilli fragte sich, ob er irgendetwas im Schilde führte, da klatschte er auch schon mit voller Wucht seine Hand auf Darlings Pobacke. Die Stute erschrak und stieg laut wiehernd auf die Hinterläufe. Lilli,

Wolke und die anderen zuckten zusammen und wichen zurück.

Torben begann laut grölend zu lachen. Dabei schaute er zu seinen Freunden und schien sie animieren zu wollen, in sein Gelächter einzustimmen. Aber die übrigen Jungen standen nur da.

Jesahja drängte sich nach vorn. Er schien Torben zusammenstauchen zu wollen. Doch bevor er die Gelegenheit dazu hatte, trat Wolke vor. Mit geballten Fäusten stapfte sie auf Torben zu. Lilli glaubte, ihren Augen nicht trauen zu können. »Fass sie nicht an!«, donnerte Wolke mit ungeahnt lauter Stimme. »Weg von meinem Pferd!«

Torbens Lachen stockte. »Jetzt bleib mal locker«, sagte er und versuchte, lässig zu klingen. Aber das misslang.

Wolke stand wutschnaubend vor ihm. »Ich habe gesagt, du sollst verschwinden! Lass mein Pferd in Ruhe!«

Torben blickte hilfesuchend zu seinen Freunden, aber die schwiegen allesamt. Jesahja funkelte ihn wütend an.

»Geh weg und lass uns in Ruhe!« Wolkes Stimme war so durchdringend, dass Torben instinktiv zurückwich. Sobald er den Rückzug angetreten hatte, murmelte er: »Ach, vergiss es!«, stolperte ein paar weitere Schritte zurück und reihte sich wieder bei den Jungs ein, um sich hinter ihnen zu verstecken.

Wolke stand mit zornesrotem Gesicht da. Lilli erkannte sie kaum wieder. Was war aus dem schüchternen Mädchen geworden? Wolke blickte auf ihre Hände und schien sich das Gleiche zu fragen. Erstaunt nahm sie die Fäuste herunter.

Als die Jungs sich schließlich wieder entfernten, trat Lilli an Wolkes Seite. »Du hast Torben vertrieben!«, sagte sie.

Wolke runzelte die Stirn. Sie wunderte sich offenbar selbst darüber. »Wieso bist du plötzlich so mutig?«, fragte Lilli.

Wolke rückte mit zitternden Händen ihre Brille zurecht. Dann sagte sie: »Wenn Trixi den Mut hat, mich zu verteidigen, obwohl wir keine Freundinnen sind, dann muss ich auch den Mut haben, Darling zu beschützen.«

Lilli nickte nachdenklich und suchte mit den Augen den Schulhof nach Trixi ab. Sie war gar nicht weit entfernt. Mit starrem Gesicht lehnte sie an einer Mauer, allein wie immer, und schien konzentriert Musik zu hören. Doch als Lilli genauer hinsah, bemerkte sie, dass Trixi immer wieder kurz aufschaute und ihre Umgebung genau im Blick behielt.

Da setzte Wolke sich in Bewegung und ging zu Trixi hinüber. Lilli starrte ihr verblüfft hinterher. Trixi blickte erst auf, als Wolke direkt vor ihr stand.

Wolke sagte irgendetwas zu Trixi und reichte ihr die Hand. Trixi zögerte kurz, nahm die Hand dann aber, drückte sie und schaute hölzern wieder woanders hin. Ihre bemüht ausdruckslose Miene konnte jedoch nicht ganz darüber hinwegtäuschen, dass sie sich über Wolkes Worte zu freuen schien.

Lilli stand mit zusammengekniffenen Augen da und fragte sich, warum Trixi sich für Wolke eingesetzt hatte. Das sah ihr ganz und gar nicht ähnlich. Tat Wolke Trixi womöglich leid? Oder wollte Trixi sogar ihre früheren Gemeinheiten wiedergutmachen?

Lilli zog nachdenklich die Stirn in Falten. Die Gründe kannte sie nicht, aber sie wusste eines: Sowohl Wolke als auch Trixi hatten an diesem Tag erstaunlichen Mut bewiesen.

## Das Turnier

»Lilli! Träumst du?« Die Stimme ihres Vaters riss Lilli aus ihren Grübeleien. Sie hatte während der gesamten Autofahrt zum Fenster hinausgesehen und sich gefragt, was an diesem Tag wohl alles auf sie zukommen würde.

»Wir sind gleich da«, verkündete Lillis Mutter, die den Wagen fuhr.

Lilli zog nervös die Nase kraus, und Jesahja, der neben ihr saß, stupste sie aufmunternd an. »Wird bestimmt Spaß machen«, sagte er.

An diesem Tag würde Lilli an ihrem ersten Springturnier teilnehmen. Sie hatte zwar erst vor drei Wochen mit dem Reiten angefangen, aber so schnell Fortschritte gemacht, dass Annabell und Slavika ihr vorgeschlagen hatten, beim heutigen Turnier mitzuspringen – natürlich auf Merlin, der es kaum erwarten konnte und seit Tagen von nichts anderem sprach.

Auch Storm und Tom waren dabei. Mittlerweile waren die beiden ein eingeschworenes Team, und der Hengst vertraute Tom blind. Die Vorstellung, dass Storm und Tom bei dem Turnier ihre Konkurrenten sein würden, war ein wenig merkwürdig für Lilli, denn bisher waren sie immer miteinander und nicht gegeneinander geritten. Lilli rechnete Merlin und sich im Grunde keine Chance gegen Storm und Tom aus. Aber das machte nichts, denn es ging ihr nicht ums Gewinnen. Sie wollte einfach nur einmal dabei sein.

»Wir sind da!«, rief Lillis Oma, die ebenfalls auf der Rückbank saß. Der Kombi der Susewinds bog auf einen Platz ein, auf dem unzählige Autos und Pferdeanhänger standen. Hier tummelten sich Trainer, Reiter, Pferde und zahllose Schaulustige. Das geschäftige Gemurmel und das allgemeine Durcheinander beschleunigten

Lillis Herzschlag. All diese Leute würden ihr und Merlin später zusehen!

»Da sind die Jansens!« Lillis Oma deutete auf zwei Autos mit Pferdeanhängern. »Wollt ihr schon mal hingehen, während wir einen Parkplatz suchen?«

Das ließen Lilli und Jesahja sich nicht zweimal sagen. Sie stiegen aus dem Auto und rannten hinüber zu Wolke, Tom, Annabell und Slavika.

»Da seid ihr ja!«, grüßte Slavika, die auch an diesem Tag wieder eine Baseballkappe trug.

»Merlin ist schon ganz aufgeregt!«, bemerkte Annabell lachend und wies auf den Schimmel, der neben dem Anhänger stand und unruhig auf der Stelle tänzelte.

»Hallo Lilli-i-i!«, wieherte Merlin erfreut. »Der großherrliche Sondertag ist da! Heute sind wir die Berühmtbesten von allen! Im Ernst! Das stimmt.« Seine Ohren zuckten vor und zurück. »Geht's jetzt los? Oder gleich? Besser jetzt gleich!«

Lilli lächelte. »Wir müssen uns noch etwas gedulden. Aber dann springen wir am höchststeilstbesten von allen!«

»Am höchst … was?«, fragte Jesahja, doch Lilli grinste nur. Da verdunkelte sich Jesahjas Gesicht plötzlich und sein Blick wurde starr. Er schien irgendetwas entdeckt zu haben.

»Was ist los?«

Jesahja deutete stumm auf einen Mann, der neben einem Wagen stand. Lillis Augen weiteten sich. »Egobert!«

»Was? Wo?« Wolke schaute sich alarmiert um.

Annabell wurde blass. »Tatsächlich«, murmelte sie. »Das ist er. Anscheinend nimmt er auch am Turnier teil.«

»Dann hat er wohl einen neuen Stall gefunden, für den er arbeiten kann«, fügte Slavika düster hinzu.

Der Trainer mit dem kantigen Gesicht und dem dünnen blonden Haar führte ein schneeweißes Pferd aus einem Anhänger heraus. Offenbar war das sein neuer »Schützling«. Das schöne Tier wirkte sehr nervös, und Egobert benutzte seine Reitgerte, um es unter Kontrolle zu halten. Er schlug das Pferd zwar nicht damit, aber er ließ die Gerte immer wieder blitzschnell durch die Luft sausen. Das peitschende

Geräusch schien das Tier so sehr zu ängstigen, dass es tat, was der Trainer wollte.

»Er wagt nicht, das Pferd hier vor all diesen Leuten zu schlagen«, raunte Jesahja Lilli zu, »aber ich wette, dass es diesem Pferd nicht besser ergeht als damals Storm.«

Lilli konnte Jesahja nur zustimmen. Es war nicht schwer zu erkennen, wie viel Angst das schneeweiße Pferd vor Egobert hatte. Lilli überlegte. Die Jansens wurden gerade von einer Dame vom Organisationskomitee angesprochen und waren abgelenkt. Ihnen würde es gewiss nicht auffallen, wenn Jesahja und sie sich kurz entfernten. »Gehen wir näher ran«, flüsterte Lilli.

Jesahja stimmte bedächtig zu. »Ja, aber vorsichtig.«

Sie huschten unter Merlin hindurch und wollten sich gerade zu Egoberts Wagen schleichen, da bemerkte Lilli, dass unzählige der Pferde, die neben den Anhängern auf dem Platz standen, zu ihr herüberblickten. Einige starrten sie wie hypnotisiert an, andere wackelten neugierig mit den Köpfen.

Lilli blieb stehen. So reagierten Tiere immer

auf sie. Sie merkten gleich, dass sie kein normaler Mensch war. Für die meisten Tiere sah Lilli sogar ein bisschen aus wie eine von ihnen, und in der Vergangenheit war Lilli schon von Möwen für eine Möwe, von Hunden für einen Hund und von Fröschen für einen Frosch gehalten worden.

Lilli biss sich auf die Lippe. Sie hatte ihrer Mutter versprochen, beim Turnier keine unnötige Aufmerksamkeit auf sich zu ziehen – obwohl sie geahnt hatte, wie schwierig das werden würde. Aber sie hatte sich vorgenommen, unauffällig mit jedem Pferd zu sprechen und sich vorzustellen. Nun erkannte sie jedoch, dass das unmöglich war. Jedes der Pferde wurde von mehreren Menschen umschwirrt!

Angestrengt kaute Lilli auf ihrer Unterlippe. Ihre Mutter war alles andere als begeistert davon, dass Lilli überhaupt an einem Turnier teilnahm. Die Gefahr aufzufallen war hier viel größer als anderswo. Obwohl bisher keiner von Jansens Nachbarn die blühenden, »saftfrischen« Weiden beim Reiterhof mit übersinnlichen Fähigkeiten in Verbindung gebracht zu haben schien, war Lillis Mutter mehr denn je darauf bedacht, dass ihre Tochter sich so normal wie möglich verhielt.

»Au.« Lilli hatte sich die Lippe blutig gebissen. Sie leckte das Blut ab und kratzte sich ratlos am Kopf. Die Pferde starrten sie neugierig an. Was sollte sie nur tun? »Mist«, murmelte sie. »Die Pferde werden sich die Hälse nach mir verrenken, wenn ich ihnen nicht erkläre, wer ich bin. Aber wie soll ich mit ihnen sprechen, ohne aufzufallen?«

»Kann ich ja für dich machen«, schnaubte da eine vertraute Stimme neben ihr. Merlin stieß sie sanft an. »Ich bin viel lautlärmender als du.« Er reckte den Hals und wieherte aus voller Brust: »Alle mal herhören! Das hier ist Lilli. Sie ist ein Pferdesprechmädchen, deswegen sieht sie so pferdig aus.« Einige der Tiere auf dem Platz legten die Köpfe schief. »Sie kann mit euch reden, aber sie hat heute keine Zeit dafür. Es bringt also nichts, wenn ihr so starrguckend rüberstiert.«

Die Pferde lauschten Merlin aufmerksam, dann wandten sie sich ab und starrten Lilli nicht länger an. Seine Erklärung schien ihnen zu genügen. Die Menschen um sie herum bemerkten nichts von alldem. Sie hatten lediglich ein Wiehern gehört, das für sie genau wie die anderen Pferdegeräusche klang, die an diesem Tag die Luft erfüllten.

Ein warmes Gefühl der Dankbarkeit durchströmte Lilli. »Du hast mir aus der Klemme geholfen, Merlin. Danke.« Lilli streichelte dem Schimmel die Flanke. Da erinnerte sie sich, was Jesahja und sie eigentlich vorgehabt hatten. »Wir sind gleich wieder da!«, flüsterte sie und machte sich mit Jesahja auf den Weg zu Egobert. Doch dort, wo der Trainer zuvor gestanden hatte, war er nicht mehr. Auch das schöne Pferd war fort. Unschlüssig sahen Lilli und Jesahja sich um.

»Das weiße Pferd heißt Schnee«, stellte Jesahja fest und wies auf einen Schriftzug auf dem Anhänger. »Warte ...« Mit leisen Schritten schlich er sich an den Anhänger heran, linste um die Ecke und bedeutete Lilli mit der Hand, ebenfalls näher zu kommen. Kaum hatte Lilli das getan, verkrampfte sich alles in ihr. Hinter dem Anhänger, verborgen vor den Augen der anderen, war Egobert gerade dabei, Schnee die Vorderbeine mit einer Salbe einzureiben ...

Lilli fühlte heiße Wut in sich aufsteigen.

Ohne nachzudenken trat sie einen Schritt vor. Da zerrte Jesahja sie zurück und presste sie gegen den Anhänger. Mit warnendem Blick legte er den Finger auf die Lippen. Dann nahm er sie am Arm und zog sie eilig fort.

Als sie genug Abstand zwischen sich und den Anhänger gebracht hatten, sagte Jesahja eindringlich: »Egobert hätte uns zu Hackfleisch gemacht, wenn er uns bemerkt hätte!«

»Aber wir können doch nicht einfach zulassen, dass er Schnee mit der Salbe einreibt!«, rief Lilli aufgebracht.

»Dagegen können wir nichts machen. Aber ...«

Lilli blieb stehen. »Du hast etwas vor!«

»Ja.« Er nickte. »Wir gehen zum Organisationskomitee.«

Lilli starrte Jesahja sprachlos an, da setzte er sich schon in Bewegung. Lilli machte, dass sie hinterherkam.

Während sie in Richtung des Hauptgebäudes marschierten, entdeckten sie die Dame vom Organisationskomitee, mit der Annabell und Slavika sich zuvor unterhalten hatten – eine nicht sehr freundlich aussehende, schwarzhaarige Frau, die gerade mit einem der anderen Teilnehmer sprach.

»Reden wir mit ihr!«, flüsterte Lilli.

»Okay.« Jesahja ging voran, Lilli folgte. Die schwarzhaarige Dame wandte sich gerade von ihrem Gesprächspartner ab. Das war die perfekte Gelegenheit! »Entschuldigen Sie«, sprach Jesahja sie an.

Die Frau musterte ihn und Lilli. »Sucht ihr das Klo?«

»Nein«, entgegnete Jesahja. »Wir möchten etwas melden. Eine sehr ernste Sache.«

Die Dame zog fragend die Brauen hoch. »Und was?«

»Einer der teilnehmenden Trainer quält sein Pferd. Sein Name ist Egobert ...« Jesahja geriet ins Stocken. Sie kannten Egoberts Nachnamen gar nicht! Jesahja sprach jedoch so schnell weiter, dass das nicht weiter auffiel. »Er benutzt eine durchblutungsfördernde Salbe, mit der er vor dem Springen die Beine seines Pferdes einreibt.«

Die Frau vom Komitee verzog den Mund. »Und woher wollt ihr das so genau wissen?«

»Wir haben es eben gesehen. Außerdem kennen wir den Mann schon länger. Das Pferd, das er vorher geritten hat, wurde ebenfalls von ihm gequält.«

Die Dame hörte mit skeptischem Gesicht zu und schien Jesahja nicht für voll zu nehmen. Ihre nächsten Worte bestätigten das. »Na, das sind ja wilde Räubergeschichten, die ihr da verbreitet!« Sie lachte, doch ihre Augen lachten nicht mit. »Ich würde euch dringend raten, das nicht weiter herumzuerzählen. Das Thema ist zu ernst, als dass man sich damit einen Scherz erlauben sollte.«

»Das ist kein Scherz!«, protestierte Lilli.

»Jetzt ist es aber genug!« Die Frau machte eine herrische Handbewegung. »Wenn ihr nicht sofort damit aufhört, werde ich mit euren Eltern sprechen müssen. Sind sie hier?«

Als Lilli und Jesahja nichts erwiderten, schaute die Frau sie tadelnd an und entfernte sich.

»Verdammt«, presste Jesahja zwischen den Zähnen hervor.

»Hier seid ihr!«, rief plötzlich eine Stimme. Tom drängte sich durch das immer dichter werdende Gewimmel zu ihnen durch. »Lilli, du musst Merlin noch aufwärmen!«

»Ja, ich komme«, antwortete Lilli. Jesahja und sie folgten Tom mit hängenden Köpfen zurück zu den Jansens.

## Chaos auf dem Springparcours

Etwa eine Stunde später war es so weit. Das Turnier begann. Es fand auf einem professionellen Springparcours statt, der auf Lilli mehr als einschüchternd wirkte. Merlin hingegen freute sich wie wild, endlich wieder auf einem »großgigantischen Expertenplatz« springen zu dürfen, und seine Begeisterung half Lilli, sich ein wenig zu beruhigen.

Lillis Familie saß im Zuschauerraum und wartete gespannt. Lilli konnte ihre erwartungsvollen Gesichter in der Menge sehen, ihr Vater hatte sogar eine Videokamera dabei. Doch bei genauerem Hinsehen wirkte die Miene ihrer Mutter eher angespannt als erwartungsvoll. Lilli nahm sich noch einmal vor, sich so unauffällig wie möglich zu verhalten.

Die Jansens hatten ihr die Regeln des Turniers erklärt, aber Lilli war nicht sicher, ob sie wirklich alles verstanden hatte. Sie wusste nur, dass alle Teilnehmer nach einer ausgelosten Reihenfolge ritten und die Besten später noch einmal in einem Stechen gegeneinander antreten würden. Bewertet wurden sowohl die Schnelligkeit als auch das fehlerfreie Springen über die Hindernisse.

»Egobert reitet zuerst«, sagte Jesahja, der neben Merlin und Lilli stand. Storm, Tom und die übrigen Jansens warteten ebenfalls neben ihnen. Von ihrem Platz am Eingang des Parcours aus konnten sie gut verfolgen, was geschah.

Da ritt Egobert schon auf Schnee heran. Die weiße Stute war ein bildhübsches Tier, aber in ihren Augen lag Furcht. Der Anblick schnürte Lilli die Kehle zu.

Egobert musste an ihnen vorüberreiten, um auf den Parcours zu kommen. Dabei entdeckte er Lilli, Jesahja und die Jansens. Sofort nahm seine Miene einen feindseligen Ausdruck an, und seine Blicke waren wie Pfeile.

Als Storm seinen alten Peiniger sah, wich er schlagartig zurück. »Er …«, schnaubte er. »*Er* ist hier …« Tom hatte alle Mühe, den scheuenden Hengst festzuhalten.

»Er wird dir nichts tun!«, raunte Lilli Storm zu. »Das verspreche ich! Am besten schaust du nicht in seine Richtung.« Der Hengst hielt einen Moment lang inne, dann trat er wieder ein paar Schritte vor, neben die anderen. »Gut …«, brummte er mit tiefer Stimme. »Ich schaue nicht hin.«

Gleich neben ihnen musste Egobert anhalten, um mit einem der Schiedsrichter zu sprechen. Während er das tat, beugte Schnee den Kopf zu Lilli herunter. »Du bist das pferdesprechende Mädchen, nicht wahr?«, fragte sie leise.

»Ja.« Lilli blickte das schöne Pferd traurig an. »Wie geht es dir?«

»Ich möchte nicht springen. Aber ich muss. Obwohl meine Beine wie Feuer brennen.« Schnee schüttelte sanft ihre weiße Mähne. »Mein Mensch ist kein guter Mensch.«

»Wir kennen ihn auch«, bemerkte Merlin.

»Er war auf unserem Hof, und er ist der fiesböseste Mensch, den es gibt! Er hat mal nach mir getreten!«

»Wirklich?«, fragte Lilli, da ritt Egobert schon weiter, und Schnee musste wohl oder übel mit ihm auf den Parcours. Die Stimme des Ansagers, die blechern über den ganzen Platz schallte, nannte Egoberts und Schnees Startnummer, und gleich darauf ging es los. Egobert trieb die Stute unsanft an, und Schnee verfiel in einen raschen Trab. Sie bewegte sich leichtfüßig und flink, doch ihr Widerwille stand ihr ins Gesicht geschrieben. Lilli fragte sich, ob das außer ihr niemand bemerkte.

Schnee schwang sich mit federnden Schritten über die ersten Hindernisse. Egobert hielt die Zügel so stramm, dass sie sich kaum bewegen konnte, aber die schöne Stute nahm auch jede weitere Hürde ohne sichtbare Mühe. Sie war schnell, und sie sprang fehlerfrei. Als sie jedoch das letzte Hindernis anvisierte, hatte sie während des Anlaufens Probleme und riss beim Sprung die oberste Stange herunter.

»Ahhh …«, ächzte sie vor Schmerz, und das Geräusch ging Lilli durch Mark und Bein. Neben ihr stampfte Storm mit dem Huf auf. »Beinfeuer …«, schnaubte er wütend. »Reibt er sie mit Beinfeuer ein?« Lilli schwieg bedrückt.

Der Ansager verlas die Zeit und die Punktzahl der beiden. Sie hatten eine sehr gute Wertung. Doch als Egobert vom Platz ritt, hatte Lilli das Gefühl, dass er trotz der guten Punktzahl innerlich vor Wut schäumte. Würde er Schnee für den verpatzten letzten Sprung bestrafen?

Es ritten nun mehr als zwanzig andere Teilnehmer, und die meisten waren schlechter als Egobert und Schnee. Dann waren Lilli und Merlin dran. Als Lilli auf den Schimmel aufstieg, schlug ihr Herz zum Zerspringen.

»Das wird schon!«, rief Annabell ihr zu, und Jesahja zeigte ihr den erhobenen Daumen. Lilli lächelte schief.

»Geht's jetzt los?«, fragte Merlin aufgeregt. »Sind wir jetzt dran? Also, von mir aus könnten wir jetzt …«

Lilli klopfte ihm sachte auf die Schulter. »Ja, jetzt geht es gleich los.«

»Jippi-i-ieh!«, wieherte Merlin und schoss nach vorn.

Der Ansager hatte sie allerdings noch nicht

vollständig angesagt, und so mussten sie noch einmal zum Startpunkt zurück. Das trübte Merlins Begeisterung jedoch nicht im Mindesten. »Jetzt? Jetzt?«, fragte er, und als Lilli ihm mit den Beinen endlich das Signal zum Start gab, wieherte er laut: »Ja-a-a!« und trabte schwungvoll los. Sobald sie auf dem Parcours waren, spannte Merlin sämtliche Muskeln an und konzentrierte sich auf jeden seiner Schritte. Aufmerksam steuerte er auf das erste Hindernis zu. Lilli sah im Vorbeireiten ihren Vater und ihre Oma, die ihr aufgeregt zuwinkten. Ihr Vater hatte die Videokamera vor dem Gesicht, winkte aber trotzdem. Ihre Mutter hielt die Arme verschränkt.

Lilli versuchte, sich auf den Ritt zu konzentrieren. Merlin setzte zum Kurzgalopp an und sprang graziös über die erste Hürde. Gleich darauf jubelte er. »Ja! Ha! Einfach drüber. So richtig steilhoch drüber. Das war gut, was?«

Da kam schon das nächste Hindernis. Auch über dieses sprangen sie ohne Probleme. Sie flogen regelrecht hinüber, ebenso wie über die folgenden Hürden. Eine nach der anderen nahmen sie fehlerfrei, und jedes Mal, wenn sie nach dem Sprung aufsetzten, jauchzte Merlin vor Freude.

»Ich bin ein Wu-u-underpferd!«, krakeelte er übermütig, und die anderen Pferde am Rande des Parcours schnaubten beeindruckt ihre Zustimmung.

Schließlich hatten sie alle Hindernisse hinter sich gebracht – ohne einen einzigen Fehler gemacht zu haben! Als der Ansager ihre Zeit verlas, stellte Lilli jedoch fest, dass sie langsamer gewesen waren als die anderen Pferde. Einen kurzen Moment lang war sie enttäuscht. Als Merlin aber erneut aufjauchzte und sich über den »bestherrlichen Extraexpertenritt aller Zeiten« freute, ritt sie mit glücklichem Gesicht vom Platz.

Als sie sich wieder zu den Jansens gesellten, rief Wolke mit roten Wangen: »Ihr wart super!«

»Einfach spitze«, stimmte Slavika zu.

Lilli stieg ab und merkte, dass ihre Knie sich weich wie Butter anfühlten. Das Ganze war furchtbar aufregend gewesen.

»Du bist ein Star!«, sagte Jesahja grinsend. Aber sie hatten nicht viel Zeit, sich über Lillis Ritt zu unterhalten, denn nun waren Storm und Tom an der Reihe.

Wolke schien aufgeregter zu sein als ihr Bruder. Sie rückte immer wieder ihre Brille zurecht und hüpfte von einem Bein auf das andere.

Tom hingegen stand konzentriert vor dem Hengst, lehnte seine Stirn gegen Storms Stirn und sprach leise mit ihm. Obwohl der Hengst nicht verstand, was Tom sagte, konnte man sehen, wie vertraut die beiden inzwischen miteinander waren. Lilli war sicher, dass Storm sein Bestes geben würde. Denn Tom war nicht nur sein Reiter und Trainer, sondern sein Freund.

Im nächsten Augenblick stieg Tom auf und wartete darauf, dass der Ansager ihre Startnummer vorlas. Dann schnalzte er leise mit der Zunge, und Storm lief los.

Sobald der schwarze Hengst den Parcours betrat, ging ein Raunen durch die Zuschauerreihen. Lilli hörte, wie die Leute »Sieh dir das an!« und »Was für ein Pferd!« riefen. Einigen stand vor Staunen sogar der Mund offen. Storm war eine überaus beeindruckende Erscheinung.

Als der Hengst zu springen begann, verfolgte Lilli mit schweißnassen Händen jede seiner Bewegungen. Mit faszinierender Leichtigkeit flog der Hengst über ein Hindernis nach dem anderen. Die Leute auf den Zuschauerrängen schienen allesamt den Atem anzuhalten, jedes Mal, wenn Storm erneut zum Sprung ansetzte. Doch Storm sprang nicht nur fehlerfrei, er war auch unglaublich schnell. Er bewegte sich mit spielerischer Wendigkeit zwischen den Hindernissen und folgte Toms Anweisungen so präzise und blitzartig, dass den Zuschauern der Atem stockte.

Sofort nach dem Ritt verkündete der Ansager die Punktzahl und die Zeit. Donnernder Applaus erklang. Storm und Tom lagen weit vor allen anderen Teilnehmern. Niemand war so gut gewesen wie sie.

Mit stolzem Gesicht lenkte Tom Storm wieder zu Lilli, Jesahja, Wolke, Slavika und Annabell zurück und stieg ab.

»Du bist so was von schnellflitzig, Junge!«, grüßte Merlin den Hengst. »Im Ernst! Supersonderschnellflitzig!«

Storm lachte ein Pferdelachen, und Merlin fiel fröhlich mit ein.

Die Jansens drängten sich um Tom. Slavika umarmte ihren Sohn und sagte ihm, wie stolz sie auf ihn war. Tom winkte mit leuchtenden Augen ab, aber man konnte ihm ansehen, wie sehr er seinen Erfolg genoss.

Auch Lillis Familie kam nun heran. Lillis Vater und ihre Oma beglückwünschten die Jansens und überhäuften Lilli ebenfalls mit Lob. Danach nahm Frau Susewind ihre Tochter zur Seite. »Du bist sehr gut geritten«, sagte sie. »Das hast du toll gemacht.«

»Danke«, antwortete Lilli und wusste nicht, ob ihre Mutter sich wirklich über ihren Erfolg freute. Sie wirkte eher erleichtert darüber, dass Lillis Andersartigkeit bisher niemandem aufgefallen war.

Da fiel Lillis Blick auf Schnee. Die Stute stand auf der anderen Seite des Platzes neben Egobert. Der Trainer sprach mit einem älteren Paar. Waren das die Besitzer von Schnee?

In diesem Moment rief der Ansager das Stechen aus. Insgesamt fünf Pferde nahmen daran teil. Schnee, Merlin, Storm und zwei weitere Tiere. Lilli, Tom und ihre Familien jubelten.

Schon stieg Egobert auf. Er war als Erster dran. Langsam ritt er zu ihnen herüber, denn sie standen noch immer am Eingang des Parcours. Egobert würdigte weder Lilli noch die Jansens eines Blickes. Schnee hingegen schaute Lilli sehnsüchtig an, und dieser Blick schnitt Lilli tief ins Herz.

»Hey-y-y!«, wieherte Merlin der Stute freundlich zu. »Wenn du mit dem fiesbösen Typ nicht springen willst, warum bleibst du nicht einfach stehen und weigerst dich, zu laufen?«

Lilli staunte nicht schlecht über Merlin. Gleichzeitig wusste sie, dass das Problem nicht so einfach zu lösen war. Die Stute schien das genauso zu sehen. »Wenn ich mich weigere, schlägt er mich«, schnaubte sie. »Wenn ich nicht tue, was er will, wird alles nur noch schlimmer.«

Schon erklang das Signal, und Egobert stieß Schnee brutal die Hacken in die Seiten. Die Stute stöhnte und lief los. Lilli stand hilflos da. Das alles war einfach falsch! Irgendetwas mussten sie doch tun können …

Merlin schnaubte. »Wenn Springen nicht frohglücklich macht, sollte man nicht springen.«

Da sprang Schnee über das erste Hindernis und riss prompt einige Stangen herunter. Dabei entfuhr ihr ein gequälter Schmerzensschrei. Lilli zuckte zusammen, und Merlins Schweif peitschte angespannt zur Seite.

Egobert erlaubte Schnee keine Pause. Erbarmungslos lenkte er sie zum nächsten Hindernis, einer halbhohen Mauer. Schnee warf widerwillig den Kopf hin und her und nahm nicht genügend Anlauf. Dadurch hatte sie vor der Mauer nicht ausreichend Schwung, um zu springen. Egobert erlaubte ihr jedoch nicht, stehen zu bleiben, sondern trieb sie brutal an. Da blieb Schnee nichts anderes übrig, als sich gegen die Mauer zu stürzen. Mit einem schrecklichen, krachenden Geräusch kollidierten ihre Brust und ihre Vorderbeine mit der Mauer.

»Ahhh!«, schrie Schnee aus tiefster Seele, und Lilli hielt sich vor Entsetzen die Ohren zu.

»Das geht so nicht!«, wieherte Merlin in durchdringendem Ton, und bevor Lilli begriff, was geschah, machte er sich los und stürmte auf den Parcours. »Wirf ihn ab!«, rief Merlin Schnee zu. »Wirf ihn ab und lauf weg!«

Schnee, die schwer atmete und weißen Schaum vor dem Maul hatte, stöhnte: »Ich kann nicht ...«

»Doch!« Schon war Merlin bei ihr, stupste

sie an und stampfte energisch mit den Hufen auf den Boden. »Er darf das nicht mit dir machen!«

Schnee stöhnte abermals.

Plötzlich hob Egobert seine Reitgerte. »Weg mit dir, Mistvieh!«, gellte der Trainer und versuchte, Merlin mit seiner Gerte zu erwischen. Der Schimmel wich ihm jedoch geschickt aus. »Weg!«, schrie Egobert, und mit einem Mal schien all die Wut, die Lilli ihm schon immer angesehen hatte, aus ihm herauszubrechen. »Verdammtes Pferd!«, röhrte er. »Ich hasse dich! Ich hasse alle Pferde!«

Da erwischte er Merlin. Die Reitgerte peitschte mit lautem Klatschen auf den Rücken des Schimmels nieder. Merlin scheute und wich zurück. Im gleichen Moment stieg Schnee auf die Hinterläufe. Mit einer verzweifelten Bewegung erhob sie sich und versuchte, Egobert abzuwerfen. Der Trainer hielt sich am Sattel fest, aber da schüttelte Schnee sich noch einmal mit aller Kraft und brachte ihren Reiter so zu Fall. Egobert landete unsanft auf dem Hosenboden.

»Komm mit mir!«, rief Merlin der Stute zu und rannte los. Im Sturmtempo schoss er vom

Platz – zu Lilli. Schnee folgte ihm in ängstlichem Galopp.

Ein großes Tohuwabohu entstand. Mit einem Mal liefen unzählige Leute auf den Springparcours und riefen gellend durcheinander. Gleichzeitig richtete Egobert sich zornig auf und begann zu schreien und zu fluchen. Schnee versuchte, sich hinter Merlin zu verstecken, und Merlin drängte sich nah an Lilli heran. Tom bemühte sich, Storm unter Kontrolle zu halten, der wütend wieherte, dass er auf den Parcours laufen und Egobert umrennen wolle. Lillis Vater stellte sich instinktiv vor Lilli, damit sie von Merlin nicht zerquetscht werden konnte, Annabell und Slavika riefen aufgeregt durcheinander, Lillis Mutter stand wie erstarrt da, Lillis Oma schnappte sich Schnees Zügel und sprach auf die Stute ein, Wolke hielt sich mit käsebleichem Gesicht an Jesahja fest, und Jesahja fuhr sich kopfschüttelnd mit beiden Händen durch die Haare.

Lilli hörte ihn sagen: »Das gibt Ärger.« Dann stürzten schon die Leute vom Organisationskomitee auf sie zu.

## Gewinner und Verlierer

Sowohl Egobert und Schnee als auch Lilli und Merlin wurden disqualifiziert. Nach einem solchen »Ausraster« – so die schwarzhaarige Dame vom Komitee – dürfe man ihnen die weitere Teilnahme am Turnier auf keinen Fall gestatten. Das Komitee schien Merlins Verhalten ebenso als »Ausraster« einzustufen wie Egoberts wildes Herumschlagen und Fluchen. Aus diesem Grund durften sie nun alle vier nicht mehr mitmachen und hatten damit auch keine Chance auf einen Preis. Lilli störte das nicht, schließlich war es ihr sowieso nicht ums Gewinnen gegangen.

Bei Egobert verhielt sich das allerdings anders. Nachdem das Komitee ihn disqualifiziert hatte, fuhr der Trainer völlig aus der Haut, beschimpfte die schwarzhaarige Dame auf das Übelste und versuchte sogar, mit seiner Gerte nach ihr zu schlagen. Lillis Vater und Tom gingen dazwischen und hielten Egobert fest, während die Dame vom Komitee die Polizei anrief. Nun saß Egobert auf einem einsamen Platz am Rande des Parcours und schimpfte wütend vor sich hin. Lillis Vater und Tom standen neben ihm und achteten darauf, dass er niemandem etwas antat, während sie auf die Polizei warteten.

Lilli, Wolke und Jesahja waren unterdessen damit beschäftigt, Schnees Vorderbeine abzuwaschen. Wolke hatte einen Eimer Wasser besorgt, und nun reinigten sie die Beine der Stute vorsichtig, um sie von der Salbe zu befreien.

»Was macht ihr denn da?«, fragte plötzlich eine Männerstimme. Neben ihnen stand das ältere Paar, das Lilli zuvor bei Egobert gesehen hatte. »Das ist unsere Stute«, erklärte der grauhaarige Herr und wies auf Schnee.

»Oh.« Lilli richtete sich auf. »Wir ... waschen sie.«

»Und weswegen macht ihr das?«

Lilli tauschte einen kurzen Blick mit Jesahja, dann sagte sie: »Weil Egobert Schnee vor dem Turnier mit einer speziellen Salbe eingerieben hat, durch die sie Schmerzen –«

»Erzählt ihr schon wieder diese wilde Geschichte?«, unterbrach die schwarzhaarige Frau vom Komitee Lilli schroff und kam zu ihnen herüber. Offenbar hatte sie die Unterhaltung mit angehört. »Ich habe euch doch gesagt –«

»Aber es ist die Wahrheit!«, begehrte Lilli auf.

»Moment mal«, mischte sich Schnees Besitzer wieder ein. »Sprichst du von einer durchblutungsfördernden Salbe?«

»Ja«, antwortete Jesahja an Lillis Stelle. »Wir haben gesehen, wie Egobert Schnee damit eingerieben hat.«

Nun wurden mehrere Umstehende auf die Auseinandersetzung aufmerksam und traten näher. Unter ihnen waren auch Slavika, Annabell und Lillis Mutter.

Die Dame vom Komitee hob die Hände. »Solche Geschichten gehen wirklich zu weit, Kinder!«

Bevor Lilli ein weiteres Mal protestieren konnte, warf Schnees Besitzer ein: »Ich muss zugeben, Egobert war mir nie ganz geheuer. Wenn es stimmt, was ihr sagt …«

»Könnt ihr es denn beweisen?«, fragte seine Frau.

Lilli senkte den Kopf und sagte nichts dazu. Am liebsten hätte sie den Leuten erzählt, dass sie Egobert nicht nur beobachtet hatten, sondern dass sie von Schnee selbst wusste, wie sehr ihre Beine schmerzten – und warum. Aber da ihre Mutter sie mit kritischem, beinahe warnendem Blick ansah, behielt Lilli das für sich.

Da ergriff Slavika das Wort. »Egobert war bis vor kurzem bei uns als Trainer angestellt.«

Schnees Besitzer horchten auf. Mit sichtbar wachsendem Unbehagen hörten sie Slavika zu, die nun berichtete, dass Egobert Storm geschlagen und vor dem Springen immer wieder mit einer Salbe eingerieben hatte. »Dann stimmt die Geschichte also«, fasste der Mann zusammen.

»Ja«, bestätigte Slavika.

Die Dame vom Komitee schüttelte den Kopf. Es war ihr sichtlich unangenehm, dass Lilli und Jesahja wohl die Wahrheit gesagt hatten und sie ihnen nicht geglaubt hatte. »Aber im Fall der Stute fehlt uns noch immer jeder Beweis«, erklärte sie und schien sich um Haltung zu bemühen.

Lilli überlegte fieberhaft, ob sie nun doch verraten sollte, dass sie mit Schnee gesprochen hatte. Da sagte Jesahja plötzlich: »Egobert hat die Salbe in seine Hosentasche gesteckt, nachdem er Schnee eingerieben hatte. Vielleicht hat er sie ja immer noch bei sich!«

»Das sollten wir sofort überprüfen«, erwiderte Schnees Besitzer, und seine Frau stimmte zu.

Eine Minute später näherte sich eine Gruppe von mehr als zwanzig Menschen dem Trainer, Lillis Vater und Tom. Egobert blickte erschrocken auf. Er schien sofort zu begreifen, dass es nun noch schlimmer kommen würde, als er bisher angenommen hatte.

Schnees Besitzer baute sich nun vor Egobert auf. »Bitte leeren Sie Ihre Taschen«, forderte der Mann den Trainer mit fester Stimme auf.

Egobert wurde aschfahl. »Das muss ich nicht tun!«

»Sie stehen im Verdacht der Tierquälerei. Wenn Sie uns eines Besseren belehren möchten, leeren Sie Ihre Taschen und beweisen Sie uns, dass Sie keine Salbentube bei sich tragen!«

Egobert zögerte kurz. Mit einer ruppigen, beinahe trotzigen Bewegung zog er dann eine kleine Tube aus seiner Tasche hervor. Die Dame vom Komitee atmete geräuschvoll aus, und die Umstehenden schnappten nach Luft.

Schnees Besitzer nahm die Tube und las die Aufschrift. »Das ist eine durchblutungsfördernde Salbe«, stellte er ernst fest. »Es ist genau so, wie die Kinder gesagt haben.«

Plötzlich standen zwei Polizisten neben ihnen. »Ist das der Mann, der eine Frau angegriffen haben soll?«

»Ja, das ist er«, antwortete Schnees Besitzer. »Aber er hat noch viel mehr als das getan.« Dann erklärte er den Polizisten, was sie herausgefunden hatten, und seufzte. »Bitte sorgen Sie dafür, dass er seine Zulassung als Trainer verliert und nie wieder Gelegenheit bekommt, Pferde zu quälen!«

Der Polizist nickte. »Wenn alles stimmt, was Sie uns gesagt haben, können Sie versichert sein, dass dieser Mann nie wieder irgendwo als Trainer arbeiten wird.«

»Es gibt genügend Zeugen und Beweise«, erwiderte Schnees Besitzer. »Fragen Sie diese Kinder hier.«

Lilli schluckte. Musste sie nun auch etwas sagen? Doch die Polizisten wandten sich nun Egobert zu, baten ihn aufzustehen, und führten ihn ab. Egobert ließ alles schweigend, doch mit verbissener Miene über sich ergehen. Er schien zu wissen, dass jeder Widerstand zwecklos war, aber Lilli sah ihm an, dass er innerlich vor Wut kochte.

Schnees Besitzerin blickte Egobert und den Polizisten nach und kratzte sich am Kopf. »Was machen wir nun mit Schnee? Ich möchte sie nur in den besten Händen wissen!«

»Es gibt einen sehr guten Reiterhof in der Nähe«, sagte Jesahja wie auf Kommando. Annabell und Slavika starrten ihn verdattert an. »Auf diesem Hof wäre Schnee bestimmt sehr gut aufgehoben«, fuhr er fort, »und sie würde nur das beste Training erhalten, so wie Storm auch.«

»Storm?«, echote Schnees Besitzer. »Der schöne schwarze Hengst? Das ist ein richtiger Tausendsassa!« Er lächelte versonnen. »In welchem Stall steht er denn?«

»Auf dem Jansenhof«, gab Jesahja zurück. »Fragen Sie am besten diese beiden Damen hier.« Er deutete auf Annabell und Slavika, die noch immer nicht zu wissen schienen, wie ihnen geschah.

Lilli hörte jemanden hinter sich sagen: »Wenn das so ein guter Stall ist, könnten wir ja auch mal überlegen, unser Pferd dort einzustellen.«

Auf Lillis Gesicht machte sich ein Grinsen breit. Jesahja sah es und grinste zurück.

Da klatschte die Dame vom Komitee in die Hände. »Wir dürfen das Turnier nicht vergessen! Es gibt noch drei Teilnehmer, die im Stechen gegeneinander antreten müssen!«

Für Tom, der noch immer neben Lillis Vater stand, war dies offenbar das Stichwort. Mit schnellen Schritten eilte er zu Storm. »Wir müssen nochmal raus«, flüsterte er dem Hengst zu. »Lass uns denen nochmal zeigen, wie gut wir sind!«

Storm scharrte ungeduldig mit dem Huf im Sand. Er schien zu spüren, dass es gleich noch einmal losgehen würde.

Kurz darauf erklang das Signal. Lilli, Jesahja, die Jansens und die Susewinds fanden sich am

Rande des Parcours ein und verfolgten gespannt, wie sich die beiden Teilnehmer, die vor Storm dran waren, auf dem Springplatz schlugen. Sie hielten sich nicht schlecht und hatten eine gute Punktzahl.

Dann waren Storm und Tom an der Reihe. Während Lilli den beiden Glück wünschte, erkannte sie die Entschlossenheit in Toms Blick. Dann sah sie Storm an, und in seinen Augen tobte ungeduldiges Springfieber. Die beiden wollten nichts lieber, als das zu tun, was sie am allerbesten konnten.

Der Ansager nannte ihre Namen, und auf der Stelle erklang tosender Beifall. Storm hatte sich schnell zum Liebling der Zuschauer entwickelt.

Gleich darauf ritten sie los, und sowohl Lilli als auch alle anderen Anwesenden verfolgten hochgespannt, was geschah. Mit leichtfüßiger Eleganz nahm der schwarze Hengst ein Hindernis nach dem anderen. Tom gab ihm kleine, präzise Signale, die Storms unbändige Kraft in einen makellosen Fluss aus Laufen und Springen verwandelten. Er riss kein einziges Hindernis herunter und machte keinen Fehler.

Mit Bestzeit beendeten Storm und Tom ihren Durchgang. Sobald sie über die Ziellinie ritten, sprangen die Menschen auf und jubelten. Der Ansager musste es gar nicht erst offiziell verkünden – es konnte gar nicht anders sein: Storm und Tom hatten gewonnen!

Die blecherne Stimme aus den Lautsprechern gab den Namen des Siegers bekannt, und der Applaus verwandelte sich in einen ohrenbetäubenden Sturm der Begeisterung. Die Zuschauer verließen ihre Plätze und drängten zu Storm und Tom auf den Platz. Tom strahlte wie ein Weihnachtsbaum, und Storm reckte stolz den Hals.

»Der Junge ist wirklich gut«, schnaubte Merlin neben Lilli. »Sondergut. Übersondergut. Der Berühmtbeste hier.«

Lilli blickte ihn liebevoll an. »Aber du bist ein Held! Ein wundermutiger Übersonderheld!«, entgegnete sie, und sie hätte schwören können, dass der Schimmel ihr zuzwinkerte.

Da nannte der Ansager die Höhe des Preisgeldes, und Lilli musste sich an Merlin festhalten, um nicht umzufallen.

»Was? So viel?«, ächzte sie, aber niemand hörte es, denn um sie herum schrien und jubelten alle derart laut, dass keiner mehr sein eigenes Wort verstehen konnte.

Annabell, Slavika und Wolke stürzten zu Tom, um ihn zu beglückwünschen. Lillis Vater, Mutter und Oma fielen sich gegenseitig in die Arme und lachten und feierten den Sieg der Jansens. Währenddessen traf Lillis Blick auf Jesahjas. Um Jesahjas Mundwinkel spielte ein verschmitztes kleines Lächeln. Lilli lächelte zurück, doch sie merkte, dass ein Lächeln allein nicht genügte, um der Freude in ihrem Inneren Ausdruck zu verleihen. Ihr Lächeln verwandelte sich in ein Grinsen. Und als auch das nicht genügte, platzte ein tiefes, seliges Lachen aus Lilli heraus. Laut und befreit lachte sie, und zwischen ihren Füßen brach leise und unbemerkt ein Büschel Gras mit einer knallgelben Butterblume in der Mitte aus dem Boden hervor.

Herzlichen Dank an Yannick, Niclas
und Andrea für jede Menge Tipps und Ideen
aus der Pferdewelt.

# Alle Bücher von Tanya Stewner

| *Habe ich* | | *Wünsche ich mir* |
|---|---|---|
| | ›Liliane Susewind – Mit Elefanten spricht man nicht!‹ (Band 1) | |
| | ›Liliane Susewind – Tiger küssen keine Löwen‹ (Band 2) | |
| | ›Liliane Susewind – Delphine in Seenot‹ (Band 3) | |
| | ›Liliane Susewind – Schimpansen macht man nicht zum Affen‹ (Band 4) | |
| | ›Liliane Susewind – So springt man nicht mit Pferden um‹ (Band 5) | |
| | ›Liliane Susewind – Ein Panda ist kein Känguru‹ (Band 6) | |
| | ›Liliane Susewind – Rückt dem Wolf nicht auf den Pelz!‹ (Band 7) | |
| | ›Liliane Susewind – Ein kleines Reh allein im Schnee‹ (Band 8) | |
| | ›Liliane Susewind – Ein Pinguin will hoch hinaus‹ (Band 9) | |

Deine Wunschliste bitte hier ausschneiden.

Das gesamte Programm finden Sie unter
www.fischerverlage.de

fi 666 053 / 5 / a

# Noch mehr Bücher von Tanya Stewner

| *Habe ich* | | *Wünsche ich mir* |
| --- | --- | --- |
| | ›Wie weckt man eine Elfe?‹ (Band 1) | |
| | ›Eine Fee ist keine Elfe‹ (Band 2) | |
| | ›Das Einhorn im Elfenwald‹ (Band 3) | |

Deine Wunschliste bitte hier ausschneiden.

Das gesamte Programm finden Sie unter
www.fischerverlage.de

fi 666 053 / 5 / b